ART DECO
装饰艺术

[美]阿拉斯泰尔·邓肯　著

何振纪　卢杨丽　译

浙江人民美术出版社｜**艺术世界**

图书在版编目(CIP)数据

装饰艺术 / (美)阿拉斯泰尔·邓肯著；何振纪，
卢杨丽译. – 杭州:浙江人民美术出版社，2019.5
　(艺术世界)
　ISBN 978-7-5340-6694-8

　Ⅰ．①装… Ⅱ．①阿… ②何… ③卢… Ⅲ．①装饰美
术－美术史－世界 Ⅳ．①J509.1

中国版本图书馆CIP数据核字(2018)第060318号

Published by arrangement with Thames & Hudson Ltd, London,
Art Deco© 1988 Thames & Hudson Ltd, London
This edition first published in China in 2019 by Zhejiang People's Fine Arts Publishing
House, Zhejiang Province
Chinese edition© 2019 Zhejiang People's Fine Arts Publishing House
On the cover: Detail of Micarta panel, exhibited at 'A Century of Progress Exposition',
Chicago, 1933(artist unidentified). The Mitchell Wolfson, Jr Collection, The Wolfsonian-
Florida International University, Miami Beach, Florida

合同登记号
图字：11-2016-282号

装饰艺术

著　者　[美]阿拉斯泰尔·邓肯
译　者　何振纪　卢杨丽
译　校　郭云飞

责任编辑　李　芳
助理编辑　罗佳洋　吴　杭
责任校对　黄　静
责任印制　陈柏荣
出版发行　浙江人民美术出版社
地　　址　杭州市体育场路347号（邮编：310006）
网　　址　http://mss.zjcb.com
经　　销　全国各地新华书店
制　　版　浙江新华图文制作有限公司
印　　刷　浙江海虹彩色印务有限公司
版　　次　2019年5月第1版·第1次印刷
开　　本　889mm×1270mm　1/32
印　　张　9
字　　数　230千字
书　　号　ISBN 978-7-5340-6694-8
定　　价　72.00元

目 录

导　言　　　　　　　　　　　　　001

第一章　家具　　　　　　　　　006

第二章　纺织品　　　　　　　039

第三章　铁艺与灯饰　　　　　065

第四章　银、漆与金属器　　　082

第五章　玻璃　　　　　　　　095

第六章　陶瓷　　　　　　　　121

第七章　雕塑　　　　　　　　143

第八章　绘画、插图、海报与装帧　　168

第九章　首饰　　　　　　　　191

第十章　建筑　　　　　　　　217

参考书目　　　　　　　　　　243

索　引　　　　　　　　　　　247

导　言

　　装饰艺术[Art Deco]是实用艺术史上最后一种称得上真正奢华的风格，也是这段历史中一个合理而又充满想象力的篇章。然而，有关"装饰艺术"的时间跨度及其所涵盖的范畴问题，长期争论不休。最初，当装饰艺术运动在大约20世纪60年代中期再度流行时，它被界定为是对新艺术（运动）[Art Nouveau]的反叛，而且人们还一度认为，正是20世纪20年代酝酿形成的装饰艺术运动终结了流行于19、20世纪之交的新艺术运动，所幸此类有失雅趣的判断很快成为过去。今天，此类论断得到了修正：装饰艺术运动并非是对新艺术运动的直接反叛，并且在许多方面还对新艺术运动有所延展，这尤其体现在装饰艺术运动对于奢华纹样、高超的工艺以及优良的材料的关注上。另外，那些一直以来认为装饰艺术运动偶然兴起又鼎盛于20世纪20年代，并在20世纪30年代受席卷欧美的经济大萧条而最终衰微的观点也被颠覆了。

　　第一次世界大战通常被认为是新艺术运动与装饰艺术运动的分界线，但装饰艺术运动的艺术设计风格实际上孕育自1908至1912年间，这一时期通常被认为是两种风格的过渡时期。正如新艺术运动一样，装饰艺术是一种逐渐发展的风格，并没有精确的起止时间。许多现在被认为是纯粹装饰艺术风格的作品——例如埃米尔-雅克·鲁赫尔曼[Emile-

1. 亚历山大·凯利提：执扇少女冷涂铜像，约1926年。

Jacques Ruhlmann]、保罗·艾瑞伯[Paul Iribe]、克莱门特·蒙尔[Clément Mère]、保罗·弗洛特[Paul Follot]的家具与艺术作品[*objets d'art*]，创作于1914年一战爆发之前或是战争期间。因此，这场艺术设计运动很难像之前那样在20世纪20至30年代之间做出严格的时间划分。装饰艺术运动的肇始与衰退都应该较这个时间段更早。事实上，如果不是一战造成的4年停滞，到19世纪20年代装饰艺术风格应该会发展的更为完善。

装饰艺术运动究竟有哪些特征呢？因为这一风格吸收了许多不同而且相互冲突的影响，所以在很多方面公然挑战着固有的明确观念。它们主要是受到了世纪之交先锋派绘画艺术的影响。许多装饰艺术运动中的能手善于借鉴来自立体主义[Cubism]、俄国构成主义[Russian Constructivism]以及意大利未来派[Italian Futurism]中抽象、变形与简化的元素，并将之运用到自己的装饰艺术设计上。考察装饰艺术风格的典型图像——如风格化的束花、少女形象，包括方折纹、波浪纹以及雷电纹在内的几何图案，和无处不在的雌鹿图案，揭示了来自诸如高级时装、埃及古物、东方、非洲部落文明以及俄罗斯芭蕾舞剧的进一步影响。不仅如此，自1925年开始这一运动又融入了以描绘重叠图形来表现机械化方面的影响，到了20世纪30年代又加入了受空气动力学原理启发而来的流线型设计。

因此在各种艺术影响下形成的这个混合风格变得十分复杂，特别难以用一个词或短语来进行充分地概括。请牢记，"装饰艺术（运动）"这一名称在20世纪60年代后期被创造出来，保留了极大的弹性来描述一战之前迅速发展起来的装饰设计风格，而且直到20世纪30年代后期仍然在一些国家的时尚潮流中存在。在法国，装饰艺术运动体现出其本身饱有的激昂、多彩和趣味。在欧洲其他地方以及稍晚的美国，基于对功能性以及经济上的考虑，对装饰艺术运动的演绎更为理智。对于在

20世纪20至30年代流行的这类设计元素，如今被称作众所周知的现代主义，并将之与法国高级风格的变体区分开来，而这种变体通常被认为与装饰艺术运动相承。这两条脉络最初被界定为现代风格，而且二者都分别在两次世界大战之间的不同时期一度盛行。将它们并联起来正好成为一场在装饰艺术史上真正率先受到了20世纪初的触动，而且影响广泛又绚丽夺目的艺术设计运动。

正如装饰艺术运动替代了新艺术运动那样，法国的装饰艺术运动后来又让位给了现代主义运动。1925年在巴黎举办的世界博览会成了装饰艺术运动繁盛的顶点。这场博览会早在1908年已经开始筹办，后来经过多次延期（部分是由于战争的原因），最后得以在1925年的4月至10月间举办。除了在一战中战败的德国声称太迟收到邀请而来不及充分准备外，大部分的欧洲国家都参加了这场博览会。而时任美国商务部长的胡佛[Herbert Hoover]以美国满足不了世博会参展纲领上现代主义的参赛标准为由也请辞了此次展览。尽管有所疏缺，但大多数评论家还是认为这届展会的主要展品都是属于现代主义风格的，尤其是主办方提供了大量先锋派的建筑场地，在整个展览活动中发挥了重要作用。

形式必须符合功能是装饰艺术运动的首要信条，这也在日后的设计学校中一直被奉为圭臬。但同时装饰艺术运动所关注的装饰设计，又奠定了其衰落的命运。到了1926年，一向组织较为松散的法国现代主义设计师们——弗朗西斯·茹尔丹[Francis Jourdain]、皮埃尔·夏罗[Pierre Chareau]、勒·柯布西耶[Le Corbusier]、罗伯特·马莱-史提文斯[Robert Mallet-Stevens]与雷奈·赫布斯特[René Herbst]以及其他一些人越来越直接地批评装饰艺术运动的设计师们，认为他们过分刻意地以精致设计的孤品[pièces uniques]或限量精品来迎合特定的顾客。现代主义设计师们强调新时代的优秀设计应该是为大众的设计，设计品质与批量化生产两者并不是互斥的。未来的装饰设计不能只为富人而设计，还应该克制他们的审美偏好。与此类偏好相反，一件物件的美取决于它是否完美地与其用途相匹配。每个时代都必然会创造出一套属于自己的装饰设计语汇来适应当时的需要。在20世纪20年代后期，采用机械化生产形式的工业领域最完美地实现了这一目标。为了适应当前新机器时代的要求，需要对原来基于工匠及手工工具为基础的审美观念进行重塑。第一次，直线风格开始成为美的源泉。

现代主义运动在20世纪20年代后期迅速发展，尽管仍然有许多设计师自认为与朴素的功能主义[Functionalism]毫无关系，但功能主义还是受到了众多支持者的积极拥护。就像经验丰富的装饰设计师保罗·弗洛特在1928年的一场演讲上所称："我们都认识到仅靠'必需'是不能够充分地满足人类的，那些奢侈的需求亦同样必不可少……否则我们也要禁止音乐、鲜花、芬芳……以及女士们的笑容！"大多数装饰设计师都持有与弗洛特相同的观点。虽然在理论上可以做到迅速移除所有的装饰，但至少在心理上人们也难于在一时之间接受生活方式上的突然变化。许多设计师因此选择了中间阵营，在设计制造注重用途的机器制造的产品的同时，又适当地保留一定的装饰。具有讽刺意味的是，这些装饰设计经常需要先由手工来制作。

除法国之外，自维多利亚时代[Victorian Era]末期开始，功能主义的思想已经在装饰艺术设计中占据上风。1907年成立的德国慕尼黑制造联盟[Munich Werkbund]在维也纳分离派[Vienna Secession]与格拉斯哥学派[Glasgow Movements]之前几年就已经提出了关于逻辑与几何结构的内容。与法国新艺术运动中繁冗的花草与少女纹样设计形成了鲜明的对比，德国的制造联盟承接青年风格[Jugendstil]，强调应用批量化生产的功能主义设计。随着新世纪科技的发展进步，艺术与工业之间也实现了妥协，装饰只居于从属的位置。这一思想在德国包豪斯中结出了硕果，随后又激发了在20世纪20年代植根于美国装饰艺术中的现代主

义潜能。一战以后，其他来自欧洲以及斯堪的纳维亚的设计师们以德国
为范本，创作出受包豪斯所启发的家具与器物设计。回顾当时欧洲的艺
术评论，可以看到除法国以外对装饰物的运用皆有所节制。虽然一定数
量的装饰设计被保留，但巴黎的流行设计在1910至1925年间常被视为
高卢人的特殊癖好，禁止在其他地方使用。在法国以外的国家中，只有
美国的建筑设计继承了这种风格，新一代建筑设计师采纳了这种风格并
将之运用于加强自己建筑的效果，特别是摩天大楼和电影院的设计。在
20世纪20年代早期，美国一直缺乏一种属于自己的现代设计风格，于是
建筑设计师们将目光投向了巴黎，就像这个国家一直以来所做的那样，
在设计上寻求领先地位。

第一章 │ 家具

通过对这一时期设计案例的分析，装饰艺术运动家具的法国风格，尤其是巴黎风格特征越来越明显。在20世纪20年代，几乎没有地方可以出产在设计和品质上与法国相媲美的家具。

装饰艺术运动家具的风格根源必须回溯到法国的旧制时期[ancien régime]以及18世纪晚期的家具工匠的作品中去，诸如鲁赫尔曼相当推崇的里茨内尔[Riesener]与威斯威勒[Weisweiler]等人。在蓬勃的新艺术运动时代过后，那时的家具设计师被认为偏离了法国传统趣味，似乎应当回归传统形式并且在此基础上加以改良。大家认为美就蕴藏于椅脚的优雅比例或围裙上低调的乳白色装饰中。阿道夫·卢斯[Adolf Loos]与弗朗西斯·茹尔丹在20世纪之初就正确的预见1900年时盛行的装饰时尚是反常规的，这种设计风格将会很快让位于更加严谨的建筑性装饰原则。

尽管如此，装饰仍未被摒弃。它仍然是装饰艺术风格家具必不可少的组成部分。受人争议的家居之美是人类心理健康的必要因素。

材料

有着乌黑的表面，经过反复打磨可以显现出其天然光彩的黑檀[ebony]，是装饰艺术运动中最受青睐的板材。但在20世纪20年代，黑檀十分稀罕而昂贵。家具工匠不得不仅用黑檀贴面[ebony veneers]或使用其他的替代木材。其中来自印度尼西亚西里伯斯岛的孟加锡黑檀[macassar ebony]因其独特的平行纹理倍受欢迎。其他重要的进口热带板材还包括棕榈木[palmier]、巴西蓝花楹木[palissandre de Rio]、圭亚那斑木[zebrawood]以及柿木[calamander],然而后面两种板材因为其独特夸张的纹理,设计师们在使用时会相对谨慎。除了这些进口板材外,同时还有各式各样的传统板材:苋木[amaranth]、黄柏木[amboyna]、红木[mahogany]、紫罗兰木[violetwood]以及悬玲木[sycamore]。这些板材经常与纹理差异较大的瘤木,例如枫木[maple]或水曲柳[ash]并置使用。

其他或多或少被运用在家具制作当中的特殊材料还包括漆、鲨革、象牙以及熟铁。艾琳·格雷[Eileen Gray]、让·杜南德[Jean Dunand]、莫里斯·贾洛特[Maurice Jallot]以及菅原精造[Katsu Hamanaka],他们擅用漆艺在其家具上制作出丰富的触感。但到了20世纪30年代,漆艺莹亮的光泽效果被工业合成清漆所取代。法国人所说的鲨革[galuchat]是一种小型斑点角鲨的皮,可以通过漂白脱色,上漆或染成蓝或绿色来加强其表面的斑纹与肌理。蛇革及兽皮,例如马驹皮的处理方法也与之类似。曾缺席于18世纪家具设计的象牙,此时重新被用于制作精美的家具把手,或者被用作篷式家具脚足上的装饰。熟铁的使用也回归了。在埃德加·布兰特[Edgar Brandt]与雷蒙·苏珀[Raymond Subes]手中,这种不易变形的材料在家具、灯具支架及建筑中变得像油灰一样可塑。

在装饰艺术运动中,有三位家具工匠通过探索这些新的流行材料获得了极大成功:阿道夫·夏农[Adolphe Chanaux]、克莱门特·蒙尔以及克莱门特·卢梭[Clément Rousseau]。在他们当中,夏农毫无疑问是技艺最为高超的一位。

在夏农的职业生涯中,他曾充当过一群设计师的助手,包括古鲁特、鲁赫尔曼以及弗兰克,他们都曾经从其助手夏农的创意中获益。夏农在鲨革、羊皮纸、牛皮纸、象牙、编嵌以及手工皮革方面都有所创

2

3

2. 克莱门特·蒙尔：餐柜，孟加锡黑檀，漆面凸纹［Repoussé］皮革与象牙，约1925年（纽约普里马韦拉美术馆收藏）。3. 克莱门特·蒙尔：橱柜，孟加锡黑檀，漆面凸纹皮革与象牙，20世纪20年代（洛伦佐美术馆收藏）。4. 克莱门特·卢梭：对椅，红木，鲨鱼皮，象牙与螺钿，约1925年（弗吉尼亚美术博物馆收藏）。5. 埃米尔-雅克·鲁赫尔曼：黑黄檀墙角柜，孟加锡檀木与象牙，1916年（弗吉尼亚美术博物馆收藏）。

新，但是他很少在作品上签名。

克莱门特·蒙尔是装饰艺术运动的先行设计师，也是首先对开信刀、盥洗器具、风扇以及凸纹［repoussé］皮革装饰的书皮、鲨革以及象牙进行专门设计的设计师。他所设计的物品精致优美，显示出明显的东方影响，特别是他的植物纹做旧皮革［patinated leather floral］设计。蒙尔在家具设计方面的亮相之作展示在1910年装饰艺术家协会沙龙［Salons of the Cociété des Artistes Décorateurs］以及国家协会［Société Nationale］沙龙上。他钟爱孟加锡黑檀、枫木以及红木。对他而言，材料较之造型更加重要。

尽管收藏家们做了许多的努力，但能搜集到的克莱门特·卢梭设计的家具仍然非常稀少。即使是一个台灯的底座，基座，或者一个小小的巴尔比埃柜子［meuble barbière］也十分难得。卢梭设计中的形式展现

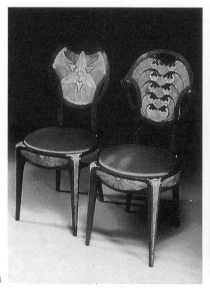

4

5

出一种十分独特而异想天开的，对于18世纪晚期家具风格的诠释以及出色的材料搭配皆展现出极大的魅力。1912年开始，卢梭常采用的工艺是将带有丰富肌理的棕榈木或红木制作的家具框架配以染色的鲨鱼皮制作的贴面，再点缀纤细的象牙边饰。

20 世纪二三十年代的家具设计师

两战期间的装饰艺术运动家具设计师可以大致地被归纳为三个类型：传统主义者、个性主义者与现代主义者。

传统主义者

装饰艺术运动家具设计中的传统主义者们以传承法国18世纪与19世纪初的家具工匠遗产为出发点，这笔遗产也为20世纪20年代立足于巴黎的大批家具设计师带来艺术灵感。

鲁赫尔曼在此（巴黎）声名鹊起。倘若法国在20世纪20年代还是一个君主制国家，鲁赫尔曼定会成为一位御用家具师[*ébéniste du roi*]。125年来，在家具制作领域，来没有人可与其媲美。鲁赫尔曼设计的家具形式优美、精致，整体简洁。尽管他的大部分知名的作品设计于1920年以前，但即使到了今天仍被认为是装饰艺术运动风格的缩影及典范。

鲁赫尔曼在1879年出生于巴黎，其父母是阿尔萨斯人。他的职业生涯始于1913年的秋季沙龙，但那并不是一个非常合宜的时机。整个一战期间，他依旧保持高产，创作出诸多杰作，例如1916年设计的柜门贴面上饰有一大篮独特花簇纹样的黑檀墙角柜[*encoignure*]。1919年，他与皮埃尔·劳伦特[Pierre Laurent]组成鲁赫尔曼·劳伦特公司[Les Etablissements Ruhlmann et Laurent in Pairis]。由于缺少制作细工家具的设备，1913到1924年间，这几乎是他家具设计师职业生涯的一半

6

时间，鲁赫尔曼的设计中大部分细木工［ébénistes］的制作都是由圣·安东尼［Faubourg Saint-Antoine］，特别是弗诺公司［Haentges *Frères & Fenot*］完成的。

　　1925年的世界博览会为鲁赫尔曼带来了国际声誉。在此以前，他并不太为普通民众所熟知，只主要为少数特权阶层服务。在世博会上展出的他所设计的典藏酒店［Hôtel du Collectionneur］的展示厅成为一个转折点，成百上千的观众穿过巨大的门庭走进展厅中目睹其宏伟的室内设计，惊艳不已。

　　鲁赫尔曼的家具只采用极为珍贵且精致的材料。多样的板材，如黑黄檀木、黄柏木、苋木、孟加锡黑檀木以及桃花心木，并镶嵌象牙、

6. 埃米尔–雅克·鲁赫尔曼：1925年巴黎世博会中的典藏酒店大厅；地毯由高迪萨德设计，纺织图案由斯特凡尼设计，壁炉上方的绘画由让·杜帕斯绘制。

7. 让·兰伯特-鲁奇："刺猬与毛驴"，橱柜门板由埃米尔-雅克·鲁赫尔曼、让·杜南德髹漆，约1925年，曾展示于1925年巴黎世博会中的典藏酒店大厅。

玳瑁以及犀角。化妆桌以皮革进行装饰，鲨革或羊皮纸贴面。丝质的流苏系于抽屉的把手上，进一步增加了其华丽的触感。更为难能可贵的是，还有一件作品交由让·杜南德以漆艺进行了髹饰。

有观点认为鲁赫尔曼的名声源自于他使用奢侈板材，他对1925年后金属的流行趋势表现得相当平和。他解释道，之所以采用金属材料是因为金属能够应对室内较为温暖的环境所导致板材干裂损坏的情况。鲁赫尔曼在1932年为印多尔王公[Maharajah of Indore]设计的桌子就是一个成功结合金属的绝佳例子，与镀铬的电话座、可旋转灯具以及废纸篓共同组成一套奢侈的搭配。

路易斯·苏[Louis Süe]与安德烈·梅尔[André Mare]的合作关系开始于1919年的法国艺术公司[La Compagnie des Arts Français]。他们的公司一直在经营到1928年，雅克·阿涅[Jacques Adnet]承接了其主要业务。梅尔回归其绘画事业，苏则继续其建筑装饰设计师[architect-ensemblier]的职业生涯。

苏和梅尔的家具设计受到了传统的启发。他们认为路易斯-菲利普[Louis-philippe]的风格在当时将会是最恰当的风格。正如梅尔在1920

年时所做的解释："这种风格回应了我们当前的需要。它的形式如此理性，以至今天的汽车设计师在设计汽车的内部时也不知不觉地采用了它。我们不是要复兴这种风格，我们也不是要刻意地延续它，而是从它那里寻获到简捷的解决办法，并且通过这种风格与我们宏伟的整个过往重新勾连起来。我们不仅是创造一种时髦的艺术。"苏和梅尔的扶手椅是豪华且富有魅力的，他们所设计的穗饰、缤纷的天鹅绒室内装饰，令人觉得既舒适又奢侈。而他们其他的设计案例则更多的是巴洛克式[Baroque]的，甚至更为夸张。他们采用加蓬檀木制作的一张桌子被纽约大都会博物馆从1925年的世博会上直接购获，这张桌子的镀金[ormolu]的桌脚并被制作成修长的叶片形状，那是基于洛可可细木家具的升级版。

1925年世博会中当代艺术博物馆[Un Musée d'Art Contemporain]的展示厅与鲁赫尔曼的典藏酒店展示厅同样引人注目。这个展示厅由圆厅与走廊共同组成，其室内装饰由一群雕刻艺术家、地毯与纺织品设计师和画家共同制作。带有镀金木刻的家具装饰有奥布松[Aubusson]生产的织绣软垫。

朱尔斯·勒鲁[Jules Leleu]是一位更为坚定的传统主义者，他追求一种以纯正木工家具为本的经典装饰风格，采用上好的材料，质感和谐。温润的木料成为他的标志——胡桃木、孟加锡黑檀木、黄柏木以及黑黄檀木。在镶嵌细工装饰方面，他没有任何创新，依然是以象牙、鲨革或犀角来装饰。漆工艺于20世纪20年代被推广开来，烟色玻璃嵌板以及金属台座也在20世纪30年代开始流行。尽管如此，这些材料的局限性也许正如勒鲁坚信的那样，与木材不同，它们不会随着岁月而变得更美。

勒鲁的设计委托包括为大使馆及政府设计全套家具，为爱丽舍宫[Elysée place]设计餐厅以及为邮轮法国岛号[Ilede-France]、大西

8   9

洋号[*L'Atlantique*]、巴斯德号[*Pasteur*]与诺曼底号[*Normandie*]设计全套家具，特别是为前面提到的诺曼底号邮轮设计了豪华的"特鲁维尔"[*Trouville*]套间（两个带有漆艺座椅，水曲柳钢琴，奥布松壁挂与象牙色的摩洛哥皮革墙壁嵌饰的房间）。

还有杜弗雷纳[*Dufrène*]和贾洛特[*Jallot*]。保罗·弗洛特为1900年至20世纪20年代的美学转型付出了巨大的努力。他在战前所设计的家具曾于1912年与1913年的沙龙展览上展出，其中独特的果篮与夏花母题装饰在今天仍被认为是装饰艺术运动的典范。

1923年，保罗·弗洛特成为波莫纳工作室[Pomone]的艺术总监，并在1928年加入希尔盖·切尔马耶夫[Serge Chermayeff]不久前在巴黎开设的沃林·吉洛公司[Waring & Gillow]分部。弗洛特在其作为细木家具设计师的漫长职业生涯中设计了大量的家具，其风格具有新

10

11   12

8. 埃米尔-雅克·鲁赫尔曼：橱柜，孟加锡檀木，配有阿尔弗雷德·穰尼俄[Alfred Janniot]设计的镀银铜锁，20世纪20年代。9. 苏和梅尔：橱柜，檀木，螺钿与银，1927年。

10. 埃米尔-雅克·鲁赫尔曼：小柜，黄柏木与象牙，约1923年。11. 苏和梅尔：衣柜，红木，枫木与铜镀金，20世纪20年代。12. 苏和梅尔：书桌，黑黄檀木与黄柏木，20世纪20年代中期。

13

古典主义特征与贵族气派。他所设计的家具的丰富效果来源于其镀金的
木制框架上明艳的色泽以及带有穗饰的室内绸缎饰品。

　　莫里斯·杜弗雷纳是大师工作室［La Maîtrise］的艺术总监，这个工
作室设计了最大的巴黎风格百货公司—老佛爷百货公司［Les Galeries
Lafayette］，杜弗雷纳影响深远的部分原因是设计出由机器生产的、廉
价的家具类型，并且相信这种要求不会影响到审美的标准（图14）。
在1925年的世博会上，他的作品频繁出现在各种评论中。

　　杜米尼克装饰公司［Dominique］成立于1922年，迅速地生产出大
量的地毯、纺织品、家具以及熟铁设计作品。除了年度沙龙展览，这
家公司还参与了1925年世博会，法国使馆［Ambassade Française］展

---

13. 保罗·弗洛特：大厅，由波莫纳工作室所经营并展出于1925年的巴黎世博会。**14**. 莫里
斯·杜弗雷纳：一对带软垫桃木花朵形椅子，展出于1913年秋季沙龙展览。

示厅的设计。它的家具设计总是既精美又中规中矩。他们最初偏好采
用黑黄檀木、孟加锡黑檀木以及悬铃木。其室内装饰品则采用丝绸、
天鹅绒或皮革。这家企业的许多精美设计案例都在1926年开始的"五
人"[Les Cinq]展览中展示过。值得注意的是他们用金钟柏制作的几桌
[*chiffonière*]，桌子带有皮弗尔卡[puiforçat]银制托架，以及由一个胡
桃木制作的、可活动的蓝色蛇革饰板。20世纪30年代合成纤维领域发生
了剧烈的变化，包括向人造丝绸与罗蒂亚[Rodhia]化工帆布的转变。
数年以后，杜米尼克装饰公司为诺曼底号邮轮设计了豪华风格的"鲁
昂"[Rouen]套间。

　　1919年，在雷奈·朱伯特[René Joubert]、乔治斯·莫维奥
[Georges Mouveau]以及（后来的）菲利普·帕特[Philippe Petit]的
主持下创办了现代室内装饰公司[Décoration Intérieure Moderne, D. I.

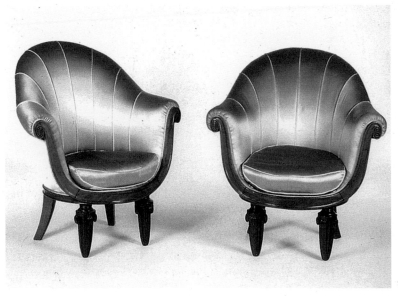

14

M.]，其设计风格与杜米尼克装饰公司的风格相近（图29）。

　　现代室内装饰公司的设计风格是传统主义的，其设计灵感一般来源于路易十六时期或复辟时期。其设计体量不大，面向的均是精英顾客。采用诸如黑黄檀木、古桃木以及孟加锡黑檀木等温润的木料，增加客户所追求的奢华感。其装饰非常成功地综合运用了大块饰板与带木结花纹的贴面板[burled venners]，例如采用具有清晰肌理的蕨木。镶嵌工艺则一般采用低调的象牙或孔雀豆木，交叉或整齐排列。

　　莱昂-艾伯特·贾洛特是20世纪20年代初期的装饰设计师，他所设计的家具与传统风格相似：来源于18世纪的独特造型，饰以厚重的雕花饰板与装饰线条。但自1919年起，他放弃了这种风格，转向着重于利用带木结花纹的贴面板，特别是蓝花楸木与野樱桃木，以使其作品能够形成对比鲜明的搭配组合。再加上象牙或螺钿镶嵌工艺，有效地突出了木材丰富的肌理效果。

15

15. 安德烈·古鲁特：桌子与饰有鲨革的小橱柜，画作由玛丽·洛朗桑绘制（见第八章插图）。照片由苏利·若尔姆拍摄。

16. 安德烈·古鲁特：床具组合，1925年巴黎博览会。

16

　　1921年，莱昂-艾伯特·贾洛特的儿子莫里斯也加入到其父亲的
设计事业当中，他也像父亲那样精力旺盛而且涉猎广泛。在1925年的
世博会上，父子俩人展示了大量的作品，两人之间各自独立又互相配
合。他们为典藏酒店、法国使馆（包括烟室、男寝室、接待厅与楼梯
间[dégagement]）、诺埃尔[La Société Noël]、布列塔尼[La Maison de
Bretagne]以及古菲·尊尼[Gouffe Jeune]设计家具。

　　贾洛特父子的作品数年内在各种沙龙展览上频频亮相。他们在20
世纪20年代设计的家具采用黑黄檀木、古桃木、黄柏木、樟木，时常以
鲨革或蛋壳镶嵌来加强效果。自1926年起他们面临着与当时木工匠们
同样问题：接受亦或抵抗家具行业引入玻璃与金属。在选择了接受后，
他们随之迈向了与众不同的现代家具设计领域：带可折叠面板的不锈钢
小桌、镜面橱柜以及茶几。从猿猴与棱角分明的鱼图像到利落的几何图
形图案，以漆加工的门板装饰题材丰富多样，内外都美轮美奂、备受追

捧。

安德烈·古鲁特[André Groult]在1925年世博会法国馆展示的女寝室设计作为装饰艺术运动的经典作品令他至今仍广受传颂。其中鲨革贴面、象牙镶边的小橱柜[bombé]，成为世博会的一个话题焦点，其拟人的造型引发评论者们的无限遐想。对于家具设计本身，以鲨革装饰的黑檀木搭配天鹅绒软饰，极大地增加了其优雅而柔美的质感。

阿曼德-阿尔伯特·雷图[Armand-Albert Rateau]的设计最初也是传统主义风格的，但逐渐发展出了当时最为独特的风格（图18、图19）。他最为重要的设计项目是布鲁门萨尔[Blumenthal]在巴黎的住宅，格拉斯[Grasse]与帕西[Passy]、珍妮·朗文[Jeanne Lanvin]在巴伯特朱利街的公寓，在这座公寓中雷图用绣着黄、白玫瑰、动物、野雀、棕榈树的朗万[Lanvin]蓝绸来装饰浴室和卧室，这也是他设计整个室内家具的基调。

雷图曾参加了1925年举办的世博会，次年又在美国八个博物馆

17

17. 里奥·丰唐为马丁工作室设计：小柜，木胎银箔，1923年。

18. 阿曼德-阿尔伯特·雷图：一对木板髹漆与铜饰板，为其位于巴黎贡蒂滨河路上的别墅所设计，约1930年。

18

19

举办巡回展览。20世纪20年代后期，雷图主要在为阿尔巴公爵夫人
[Duchess of Alba]、罗斯柴尔德男爵[Baron Eugène de Rothschild]、
塔尔海默[Dr Thaleimer]以及斯特恩[Mlle Stern]提供室内设计。他的
风格独树一帜，艺术灵感源于东方情调与古风，野雀、蝴蝶、羚羊与莨
苕纹样是反复出现的母题。早期制作橡木家具，后来逐渐转向饰有绿色
大理石花纹[verde antico]的铜器设计。

　　保罗·波烈[Paul Poiret]是当时最著名的女装设计师，他无穷的创
意同时也引领他进入到室内装饰领域。1911年4月，在参观了维也纳手工
工场[Wiener Werkstätte]与斯托克雷特宫[Palais Stoclet]之后，他建立了
马丁学校[L'Ecole Martine]，从巴黎郊区招来工人阶层的12岁女孩并安排
她们去观察自然。在这里既没有教师也没有正规的指导。女孩们被鼓励
去参观植物园[Jardin des phantes]，并深入乡村描绘各种花草植物，最
后将它们转换成各种各样的图案，用以装饰纺织品，如地毯、墙纸以及
其他室内纺织品，效果非常独特。

20

19. 阿曼德-阿尔伯特·雷图：咖啡桌，铜与大理石，20世纪20年代中期。**20**. 保罗·艾瑞伯：旋转椅子，约1914年。

　　自1921年起，马丁学校开始参与年度沙龙展览。不管是独立展出，还是作为整个房间的组成部分，地毯的效果都非常突出。在20世纪20年代又加入了大量其他的装潢摆设：琴具、灯罩、坐垫、玻璃橱柜，以及漆与镶嵌工艺加工的桌子。当时受俄罗斯芭蕾舞剧[Ballets Russes]及巴克斯特[Bakst]的影响颇深。椅子、沙发与睡床上均叠放着带有豪华穗饰的坐垫与长枕。学校里的家具设计师有马里昂·西蒙[Mario Simon]与里奥·丰唐[Léo Fontan]，当然还包括波烈自己。为了1925年的博览会，波烈想出了巧妙的吸引人眼球的方法：三艘游艇，停放在塞纳河[Quai de la Seine]上，当中极富特色的豪华室内装饰获得了广泛的关注。

　　从1910至1914年，在这短短的四年里，保罗·艾瑞伯的创造力大大被限制（图20、图33）。被训练成为一个商业化的艺术家，艾瑞伯刚开始被人们所熟知的身份是一系列巴黎杂志的漫画家，后来因为得到了女服设计师波烈与雅克·杜塞[Jacques Doucet]的支持，冒险进入室

21

内设计领域。他为杜塞设计了一系列家具，包括两把围椅[bergères]以及一款小橱柜，它后来被捐予给位于巴黎的装饰艺术博物馆[Musée des Arts Decoratifs]。还有一对围椅设计，其框架宽阔，呈圆形、蜗牛状回旋的扶手设计，标志着艾瑞伯最独特的风格。此椅在1972年德鲁奥酒店[Hôtel Drouot]举办的杜塞收藏拍卖会上成为一大热点。

艾瑞伯的风格融合了路易十五的华丽与1800年的范式，呈现出一种柔美而舒适让人愉悦的触感。他偏爱采用具有清晰肌理的圭亚那斑木，还有孟加锡黑檀木与红木。尽管是战前的观念，但"艾瑞伯玫瑰"[rose Iribe]作为曾经风行一时的装饰母题，如今仍然被认为是装饰

21. 让-迈克尔·弗兰克：室内装潢一角，拼木贴面柜子与椅子，皮纸墙饰，约1928年（照片由菲力克斯·马尔西亚可敬赠）。

艺术运动盛期的一个标志。

1920年之初，让-迈克尔·弗兰克[Jean-Michel Frank]25岁，已发掘出了属于自己的无限潜能，并在接下来的五年里广泛地游走于巴黎的时尚圈，建立起自己的名声。与夏农[Chanaux]以及其他天才艺术家与工匠的交往，包括阿尔贝托[Alberto]与迪亚戈·贾科梅蒂[Diego Giacometti]（其擅长于灯架设计、花瓶与铁栏装潢）以及克里斯汀·贝拉尔[Christian Berard]（从事地毯设计），使得弗兰克很快扬名并且获得了一些大客户。他设计中的饰板材料是其创作的特色所系：拼木、牛皮纸、羊皮纸、蛇皮革与鲨鱼皮革、羊皮革、藤条以及石膏。灯座若不是铜质或者贾科梅蒂兄弟的雕塑的形式，便是由象牙嵌件或小水晶、石英以及雪花石制作。黑檀木、悬铃木以及枫木等各种木材湮没在拼木与鲨鱼革的装饰之下。

弗兰克的室内设计观念是建筑式的。屋内沙发的长度与墙角的壁炉架，与窗户、天花的高度和门之间的关系形成一种极美的格调。家具设计中同样提倡"少即是多"原则。在有关让·科克托[Jean Cocteau]评论弗兰克的故事里，他甚至称弗兰克只放置了几件简陋家具的韦尔纳伊街公寓"实在太好了，就像遭遇盗贼洗劫过一样（简洁）"。

在法国以外，巴黎的装饰艺术运动风格中产生的新款式并未被普遍的直接应用到家具设计方面。在德国，布鲁诺·保罗[Bruno Paul]自1914年开始将法国流行的装饰艺术运动样式，运用到定制家具的贴面板上，但是反响平平。在英格兰，安布罗斯·希尔爵士[Sir Ambrose Heal]、爱德华·墨菲爵士[Sir Edward Maufe]与贝迪·约尔[Betty Joel]在他们的现代家具设计上形成了一种近似的保守风格，与俄国的移民[émigré]设计师希尔盖·伊凡·切尔马耶夫[Serge Ivan Chermayeff]的风格接近。在美国，公众抗拒过分华丽的传统趣味。在纽约，名匠公司[Company of Master Craftsmen]受到了来自巴黎、特别是杜弗雷纳[Dufrène]以及百货公司的设计影响，生产了一系列运用象牙与镶嵌工艺的作品。也是在纽约的曼哈顿，约瑟夫·厄本[Joseph Urban]设计了一批夸张造型的椅子，并在1922年维也纳手工工场纽约展厅的开幕式上进行展示。相较于巴黎风格，维也纳分离派[Vienna Secession]对于这些设计师的影响更大，尽管他们作品中的用色和螺钿工艺很接近于巴黎风格。在芝加哥，埃布尔·费比[Abel Faiby]1927年也为查尔斯[Charles]与鲁斯·辛格顿[Ruth Singleton]的住宅设计了一款类似的客厅装饰套件。

埃利尔·沙里宁[Eliel Saarinen]的家具设计是否算作装饰艺术运动的作品呢？也许有人会认为是。因为他在卡兰布鲁克学院[Cranbrook Academy]餐厅设计的整套家具都具备法国现代主义的范式。当中的椅子设计带有典型的凹背造型，浅色的杉木贴面与交叉相间的黑色垂直条纹形成强烈的色彩对比。桌子镶嵌以雅致的几何图案，令人回想起了多年前巴黎的杜米尼克与现代室内装饰公司严谨的镶嵌工艺。

还有大批其他美国设计师基于法国风格的影响设计现代木制家具，例如：欧仁·舍恩[Eugene Schoen]、赫尔曼·罗斯[Hermann Rosse]、伊隆卡·卡拉斯[Ilonka Karasz]、朱尔斯·布伊[Jules Bouy]、赫尔伯特·利普曼[Herbert Lippmann]、伊利·雅克·科恩[Ely Jacques Kahn]、罗伯特·洛克[Robert Locher]以及温诺德·瑞斯[Winold Reiss]。

个性主义者

所谓个性主义者是指那些因为突出的个性，形成独树一帜的风格的设计师。艾琳·格雷是其中最为杰出的一位。

艾琳·格雷出生于爱尔兰，1898年进入伦敦的斯莱德艺术学校[London's Slade School of Art]学习，她同时利用课余时间研习东方漆

22

艺。1902年，她前往巴黎，并于五年之后在波拿巴街21号公寓定居直至去世。漆工艺一直是艾琳·格雷的兴趣所在，她曾向日本漆艺大师菅原精造学习，以巩固自己的基础训练。事实上，早在其从艺之初，艾琳·格雷的家具设计风格就已经接近于15年后的国际现代主义风格。她在1973年接受《艺术新知》[*Connaissance des Arts*]杂志的伊芙琳·斯

22. 艾琳·格雷："命运"，四联红漆屏风，其上饰有青铜及银质图案，背面在红漆为底饰以黑色与银色的抽象几何图案。

23

伦贝谢[Eveline Schlumberger]的采访时说道："我的想法是要为我们那个时代而创作，有很多存在可能性的东西但没有人在做。我们生活在一个令人难以置信的落后环境之中。"她的风格很好的融合了远东风格与法国风格，超前于同代设计师，但她既反对恢复过去，又在后来强烈地否认与装饰艺术运动有任何亲缘关系。

1913年，艾琳·格雷参与装饰艺术家协会沙龙的展出时引起了雅克·杜塞的注意，她受委托制作了三件孤品[Pièces uniques]的重要作品：著名的《命运》[Le Destin]屏风以及两张桌子，其中一张具有异域特色，桌脚被雕刻成盛开的莲花；另一张是圆形、双层并带有四条雕刻成方块状桌脚的几桌。在屏风的正面描绘着两个古典人物形象，而背面则完全是抽象的图案设计，反映出作者古典与现代的两种倾向。这座屏风标志着艾琳·格雷设计风格即将产生变化。

艾琳·格雷的职业生涯因为第一次世界大战而中断，她暂时回到了伦敦。战后她一返回巴黎马上就接受了一项来自女帽商苏珊娜·塔波特[Suzanne Talbot]的重要设计委托。这项委托促使艾琳·格雷最具奢华与戏剧化设计的诞生，譬如其中一张灵感来源于非洲艺术的独木舟造型躺椅（图23），以及一把前椅脚被雕刻成立起的蛇的造型的扶手椅。褶皱的兽皮令其更显奢华。还有厅堂入口处随意摆放或靠墙排列的一系列黑漆板屏风，表露出设计师即将转向一种更为建筑化的设计风格。

艾琳·格雷以漆艺创作为主，1925年前后，在以漆艺为主的同时她开始在家居设计中加入越来越多的镀铬钢管与铝管材料。她设计了一把带铰接式的、以铝与皮革及悬铃木制作的躺椅，之后勒·柯布西耶也设计了一把类似的椅子。她的钢管椅子设计接近密斯[Mies]及布劳耶[Breuer]的风格。受罗马尼亚建筑师让·巴德威克[Jean Badovici]的鼓励与辅助，艾琳·格雷于1927至1929年间在地中海岸边的罗克布吕纳为自己设计了一座名为"E-1027"的别墅。其室内设计呈现出一种"空间组合"，包括几款著名的设计，例如"大躺椅"[Transat]以及

25

23. 艾琳·格雷："独木舟"躺椅，木胎髹漆与银箔，约1919至1920年（弗吉尼亚美术博物馆收藏）。
24. 让·杜南德：木胎髹漆镶嵌蛋壳，20世纪20年代后期。
25. 让·杜南德：桌子，玳瑁髹漆与蛋壳，20世纪20年代后期（史提芬·格林伯格收藏）。

24

26   27

一张圆形的床边几桌。在建筑方面她还有两项探索性的尝试：1930至
1931年为巴德威克设计的一间工住两用公寓，以及1934年她在卡斯特
亚为自己设计的第二套别墅。艾琳·格雷设计的家具逐渐演变为极为现
代而精练的设计风格：带有支架的桌子、配有绕轴旋转抽屉的柜子、用
金属管制作的椅子以及可滑动的壁橱与窗户。

　　另一位漆艺方面的代表人物是让·杜南德。他漫长的职业生涯可
以清晰地划分为三个不同阶段：雕刻阶段、金属器阶段与漆艺制作阶
段。1909年，当让·杜南德开始意识到漆艺的丰富光泽与绚丽色彩可以

26. 让·杜南德：桌子，木胎髹漆与蛋壳，约1925年。**27**. 皮埃尔·勒格朗：小凳子，展
出于1923年装饰艺术家沙龙展览，官椅式造型，皮饰与髹黑漆，1923年。**28**. 欧仁·普林
茨：书柜，棕榈木，悬铃木，铜与银，1927—1928年。

作为金属器的理想装饰后，开始转向漆艺创作。1913年，让·杜南德早期花瓶设计上的捶花[repoussé]装饰逐渐向层叠的三角形与V字形装饰转变。到了1921年，他的几何纹样装饰设计已经得到了极大的扩展，并且相当符合当时广大客户的需求。当时众多不同的装饰风格齐头并举。让·兰伯特−鲁奇[Jean Lambert-Rucki]在各种饰板上描绘非洲与东方的人物、抽象的图案、写实的风景、奇花异卉、热带鱼、各种鸟雀以及珍禽异兽。让·高尔登[Jean Goulden]、弗朗索瓦−路易斯·施密特[François-Louis Schmied]、保罗·佐菲[Paul Jouve]则提供其他部分的设计。蛋壳镶嵌在许多饰板上的运用大大增加了让·杜南德作品的吸引力与新颖程度。

皮埃尔·勒格朗[Pierre Legrain]最初是位插画艺术家，他所设计的卡通形象引起了保罗·艾瑞伯的关注。艾瑞伯邀请他参与各种合作

28

项目，包括1912年重新装饰杜塞公寓［Doucet's apartment］的项目。后来他又陆续设计了许多独特的家具并在1923年的装饰艺术家沙龙展上展出，而更为重要的是数年后在为室内设计师皮埃尔·夏罗的"现代公寓客厅与内部空间"［La Réception et l'Intimité d'un Appartement Moderne］所设计的家具作品。这些作品后来又用在了杜塞位于纳伊的工作室和公寓里。勒格朗为杜塞的朋友、女帽商珍妮·塔查尔德［Jeanne Tachard］设计了两座公寓及别墅的室内装饰。其他的顾客还有皮埃尔·梅耶尔［Pierre Meyer］，勒格朗为他的房子设计了著名的玻璃器以及铜制的普勒耶尔钢琴，并在1929年的"五个"展览上展出；他还为客户莫里斯·马丁·杜·嘉尔［Maurice Martin du Gard］设计过套房，为诺阿伊子爵［Viscount de Noailles］设计寝室，也为苏珊娜·塔波特做过设计。还有在此期间也接受一些小件物品的商业设计委托：为柯达［Kodak］设计皮质照相机盒，为骆驼［Camel］与好彩［Lucky Strike］香烟设计香烟盒包装，还为爱丽舍宫设计了一套桌子。

　　勒格朗的设计灵感主要有两个来源：非洲原始艺术与立体主义［Cubism］。他借鉴了许多非洲阿散蒂王国［Ashanti］与达荷美王国［Dahomey］家具的形制，如宝座、枕头与族长的座椅，从而创造出属于他自己的融合了原始元素的独特现代主义风格。他还受到来自同时代的立体主义艺术家毕卡比亚［Picabia］、莫迪里阿尼［Modigliani］、毕加索［Picasso］与勃拉克［Braque］的影响，他从这些立体艺术家的作品中学习三维的概念，以此创造出具有冲击力的棱角和阶梯状图案。

　　马塞尔·考尔德［Marcel Coard］的家具设计同样深刻地受到原始艺术的影响，他以海洋文明与非洲文化作为设计灵感。考尔德偏好使用橡木孟加锡黑檀木以及黑黄檀木。虽然都是一些常用木料，但他所选用的贴面与镶嵌材料令他的作品具有鲜明的个人特色：羊皮纸、螺钿、皮革、水晶、彩色镜子与银玻璃，以及镀银玻璃。天青石和紫水晶确定了装饰的基调。考尔德的装饰设计永远是附属于作品的整体形式的，其设计的家具都保持了完整轮廓感。

　　最后还有以制作具有"品位"的设计作品为本的欧仁·普林茨[Eugène Printz]，他在1925年世博会时已转向致力于当代家具设计。在1926年的装饰艺术家协会沙龙展览上，他以一套红木寝具设计作品作为其现代设计师身份的亮相之作。

　　普林茨高度的个人化风格展现出其巨大的能量与创新性。其作品中拱形元素与垂直元素配合得十分精彩，黑色的木料与铮亮的金属框架之间形成了明快的对比。在他的同代人当中，可以说极少有人能够发展出比他更为与众不同的家具设计类型了。

29　　　　　　　　　　　　　　　　　　　　　　　　　　　30

29. 朱伯特与帕特：写字台，黑黄檀木带象牙饰面，陈列于G·德的寝室装潢，1914年。
30. 皮埃尔·夏罗：扶手椅，黑黄檀木，金属与纺织品，约1925年。

31

现代主义者

现代主义者反对新古典主义的[Neoclassical]严密规范，他们带来了用机器制造原先的手工艺品的全新方式。金属不可或缺[*de rigueur*]。在法国，最为著名的现代主义家具设计师包括雅克[Jacques]与让·阿涅[Jean Adnet]、安德烈-莱昂·阿布斯[André-Léon Arbus]、罗伯特·布洛克[Robert Block]、皮埃尔·帕特[Pierre Petit]、雷奈·普鲁[René Prou]、路易斯·索洛[Louis Sognot]、迈克

31. 唐纳德·德斯基：为美国戏剧导演塞缪尔·莱昂内尔·罗斯费尔[S.L.'Roxy' Rothafel]设计的位于纽约无线电城音乐厅[Radio City Music Hall]上方的起居室，铝材、胶木与木胎髹漆，约1931年（照片来自威廉·罗斯柴尔德）。**32**. 保罗·弗兰克：综合楼，起居室集中展示于纽约布鲁克林的阿伯拉罕与斯特劳斯商店，1927年。

尔·杜费特[Michel Dufet]、保罗·特普雷-拉菲[Paul Dupré-Lafon]。此外还有一批建筑师自从20世纪20年代开始逐渐参与到现代主义家具设计当中，其中包括：雷奈·赫布斯特、罗伯特·马莱-史提芬斯、让·伯克哈尔特[Jean Burkhalter]、皮埃尔·夏罗、安德烈·吕尔萨[André Lurçat]、勒·柯布西耶、夏洛特·贝里安[Charlotte Perriand]以及让-查尔斯·莫罗[Jean-Charles Moreux]。

　　法国的现代主义家具为适应大批量低造价的生产，而包含了大量镀铬的管状组件。除了皮埃尔·夏罗等少数设计师，许多现代风格的设计是如此相似，以致于没有相关记录便难以确定它们的归属。

　　在法国的现代主义设计师当中，皮埃尔·夏罗极其特别的家具设计风格应当予以特别的关注。他于1919年的秋季沙龙展（Salon d'Automne），为让·达尔萨斯博士[Dr Jean Dalsace]（十年后，夏罗又为达尔萨斯在圣威廉街31号设计了著名的"玻璃之家"[Maison

32

de Verre］）设计的睡房与办公室成为他的家具设计首秀。他最为重要的设计作品则诞生于20世纪30年代：1927年他设计了一间位于里维埃拉博瓦隆的高尔夫球俱乐部，1929年设计了位于图尔的大酒店［Grand Hotel］。

夏罗为家具设计提供了一种合理的新方案，他设计了一系列略有变化的基本组件，可以适用于不同的功能需求。衣柜、酒柜、档案柜、壁炉挡板以及桌子都包含这种类似的基本组件。它们毫不掩饰其功能所在，当中所采用的木料与金属部件直接地暴露出来。其中许多家具设计混合使用了木材和熟铁工艺。木材温暖且柔软的质地抵消了金属的冷酷与简朴，所选用的木材包括，黑黄檀木、圭亚那木、胡桃木、悬玲木以及紫罗兰木。然后将两者用螺丝与铮亮的钢铁支架组合在一起。椅子上的装饰品是天鹅绒、猪皮革或者采用珍贵的黑貂皮。

也许夏罗最为成功的家具装饰是他的灯座设计，灯罩是由成角度的雪花石膏［alabaster］片相互交叠而成。

在欧洲的其他地区，现代主义迅速变成了十分流行的哲学。欧珍方［Ozenfant］与勒·柯布西耶的宣言《立体主义之后》［L'Après le Cubisme］（1913）广泛地吸引了家具设计师中的先进分子，共同倡导一种去除了装饰的万能风格。包豪斯在其中推波助澜，建筑设计师马塞尔·布劳耶［Marcel Breuer］、马特·斯坦［Mart Stam］、路德维希·密斯·凡·德·罗［Ludwig Mies van der Rohe］发展出了大批悬臂钢管金属坐具。当中许多设计如今被奉为20世纪的设计经典。在斯堪的纳维亚，像设计师布鲁诺·马特逊［Bruno Mathsson］以及阿尔瓦·阿尔托［Alvar Aalto］的系列作品，则倾向于在诸如木材等传统材料的基础上结合布劳耶的功能主义设计。

在美国，包豪斯激发了欧洲的机器制造潜力，到20世纪20年代后期，批量化生产的金属家具已经被接纳，并超越了此前对巴黎装饰艺术运动中新风格的偏好。

在金属家具领域，唐纳德·德斯基[Donald Deskey]成为美国的代表设计师，他融合了奢侈的法国现代主义与包豪斯的设计技术。其中一个杰出的例子是他在1933至1934年为阿比·洛克菲勒·密尔顿[Abby Rockefeller Milton]设计的餐桌。虽然这件作品以孟加锡黑檀木作为台面，但它也融入了新的材料，打磨得铮亮的镀铬合金与玻璃，以及台面下放置的灯泡使整件作品产生了戏剧化的光影效果，从而获得了评论家的一致好评。在1932年为纽约无线电城音乐厅[Radio City Music Hall]所做的室内设计中，德斯基一改以往的手法，以浮夸的设计使饱受经济萧条压力的人们能够在电影和娱乐表演中得到慰藉（图31）。德斯基为音乐厅导演塞缪尔·莱昂内尔·罗斯费尔[S. L. 'Roxy' Rothafel]设计的私人公寓非常豪华奢侈。闪亮的樱桃木饰板以及贴满金箔的天花板，其效果甚可媲美鲁尔曼最为奢华的室内设计。"罗斯费尔"公寓里的家具为了匹配屋内的其他陈设，采用了大量的铝金属与珍稀木料的贴面，以及漆、玻璃和塑胶的装饰。

来自德国的移民卡尔·伊曼纽尔·马丁·韦伯[Karl Emanuel Martin(Kem) Weber]可说是西岸地区唯一一位支持现代主义潮流的装饰艺术设计师。其设计风格极具个人特色。他为约翰·比辛格尔[John W. Bissinger]在旧金山的住宅设计了一款醒目的绿色寝室家具，极具好莱坞风格[Hollywood-style]的金属装饰风格。

保罗·T.弗兰克[Paul T. Frankl]主要以其摩天大楼风格的家具而为人所知，其设计灵感来自于他的纽约画廊上高耸的高楼大厦（图32）。他所设计的将材料与装饰一体化的男士衣柜以及一批"拼图"桌子—红色与黑色的漆、金色与银色的镀金金属以及金银箔装饰—在他的家乡威尼斯引发了维也纳分离派风潮。

至20世纪30年代中期，金属设计明显已经代替木制家具成为美国家具市场的主流。在这方面富有创意的设计师有吉尔伯特·罗德[Gilbert Rohde]、沃尔夫冈[Wolfgang]、帕拉·霍夫曼[Pola Hoffmann]、沃伦·麦克阿瑟[Warren McArthur]、沃尔特·多温·提格[Walter Dorwin Teague]以及灯饰设计师沃尔特·冯·内森[Walter von Nessen]。还有一位名为沃尔特·肯塔克[Walter Kantack]的纽约金属工匠也与建筑师威廉·利斯卡泽[William Lescaze]一样,在豪和利斯卡泽[Howe & Lescaze]设计优秀的金属家具作品。

第二章 | 纺织品

　　在1925年前后，人们开始重新思考纺织品在整个装潢设计中所扮演的角色：纺织品设计是应当独立于家具设计作为家具设计的补充，还是仅仅作为一种装饰基调，在装潢案例的色彩和设计中扮演一个次要角色？总而言之，纺织品设计在其他装饰门类面前居于从属的位置。但在战时，墙纸以及后来的织物和桌垫，由于它们时常被作为简朴装饰风格的唯一亮点而变得重要起来。

　　由于织物与地毯的脆弱性，使得19世纪二三十年代遗留至今的作品少之又少，能留下来的又经常会出现一定程度的褪色。这种不幸的状况经常会误导现在的研究者，让他们误会艺术家原本的设计与用色。尽管对当时的印版[pochoirs]进行研究或重新生产当时使用的染料可以帮助厘清设计师本来的意图，但这些东西有时会像织物本身一样颜色并不稳定。

　　尽管如此，通过对这些装饰艺术运动时期的印染纺织品与地毯的分析，我们仍然可以清晰地认识到不同的装饰艺术门类在色彩，纹理和图案方面有着共同的特征。

　　纺织品设计领域对于色彩趣味的变化较其他设计媒介更为快速。在20世纪20年代，将鲜艳的有时甚至是不和谐的淡紫色、橙红色以及桃红色与石灰绿及铬黄色相互反衬地搭配在一起，所制造出迷幻的色彩效果堪比20世纪60年代的色彩流行趋势。这种类型的色彩搭配之所以可以占据当时巴黎的织物设计界的主流，部分原因是因为战后的狂欢，但是更多的是受到了来自莱昂·巴克斯特[Léon Bakst]与亚历山大·拜诺伊什[Alexandre Bénois]为佳吉列夫的俄罗斯芭蕾舞团设计的色彩亮丽的

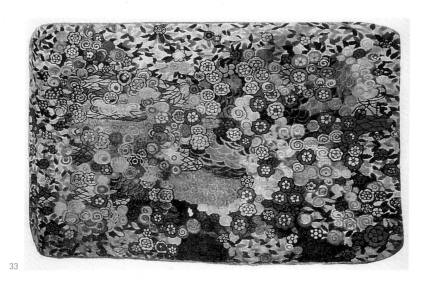

33

异国服装与舞台布景的巨大影响。这些对"为了色彩而色彩"[colour for colour's sake]的审美趋势产生了无可估量的推动作用。但在20世纪20年代后期,这种影响已经衰退。一种新的保守主义趣味诞生了,促使室内设计中出现了更多素净的配色方案。在大萧条的影响下,奢华高贵的室内装饰设计变得柔和起来,例如巴黎设计师让-迈克尔·弗兰克以及来自伦敦的设计师西莉·毛姆[Syrie Maugham]的设计,其色调是冷静的。最为流行的是灰调、深绿色以及来自一种类似于欧洲大陆名为"黑佬之头"的巧克力甜品[tête de nègre]的灰褐色,在20世纪20年代的爵士时期曾十分繁盛,至20世纪30年代逐渐被更为朴素的风格替代。

当色彩变得缺少生气,质地就变得越加重要。实际上,20世纪20年代后期与20世纪30年代在纺织品设计领域最为重要的成就便是逐渐承认了以材料本身为重的原则。在现代主义者那里,就表现为摒弃了印染

33. 保罗·艾瑞伯:雕版印花丝绸,为安德烈·古鲁特设计,1912年。

34

或其他"在织物之上额外附加"的装饰（现在被看作是一种廉价的手工织造的替代品），并且形成了一种以其本身的纤维品质为核心的设计形式。优质的编织仅是希望通过质感来反映其美丽。这种态度部分地在包豪斯纺织工坊的哲学中被发展起来，其全面的影响可以在"一战"以后批量化生产的、千篇一律的纺织品中感受到。

20世纪30年代早期的各种纺织品最为有趣，当时出现了对不同特殊材料的利用，例如酒椰纤维及黄麻纤维之类，以及各种手工编织、带流苏边饰的地毯，还有像马里恩·多恩[Marion Dorn]设计的凸纹毯子。与此同时，人造纤维也发展起来，例如人造丝及醋酸纤维。它们可被运用于更为广阔的纺织品领域，能够模仿传统的亚麻织物、丝绸与毛织物。通过强调非常粗糙或"天然"纺织品的装饰性，现代主义扭转了

34. 马丁学校：羊毛毯子，20世纪20年代。

行业趋势。20世纪20年代早期咄咄逼人的混合风格开始让位于以几乎称得上谦卑的色调与纹样为主流的风格。在德国，单调的条形几何纹纺织变得流行起来，连墙纸都带有类似的装饰细节。

20世纪20年代的纺织品图案设计表现出新异域情调的影响，装饰母题囊括近东、非洲、东方、民间艺术、立体主义以及野兽派艺术。在欧洲以及美国，最为重视的是平面图形的装饰。

梭织织物与热转印纸

巴黎最为著名的女装设计师与室内设计师保罗·波烈，是致力于异国及缤纷的装饰艺术风格的关键人物之一。在他的马丁学校里，女孩们最为出色的图案设计被保罗·杜马斯[Paul Dumas]成功地运用到纺织品的装饰上，也被弗纳耶[Fenaille]公司用在了地毯的设计上。这些制作都在波烈的马丁学校里发售。马丁学校缤纷细碎的设计风格，带有一种俄罗斯芭蕾舞团式的怀旧的异国情调。据波烈说，他还受到了波斯、南太平洋诸岛装饰风格的影响，更具体地说是受到了维也纳分离派装饰元素的影响。

为了1925年的博览会，波烈展出了三艘游艇设计——阿姆斯[*Amours*]、德利斯[*Delicces*]、奥格斯[Orgues]，停泊在亚历山大三世[Alexandre III]大桥旁。劳尔·杜菲[Raoul Dufy]为奥格斯号游艇制作了14件壁挂[steam-dried wall-hanging]。但此时，波烈的影响已经减弱，他缺乏经济上的考虑更加深了公众对其所引领的、曾一度流行的繁复的花纹设计风格的反感。

杜菲的许多纺织设计擅于表现故事性、形象化的18世纪风格，当中的图像被绘制成各种各样的户外主题，并由藤蔓花纹[arabesques]或花饰所环绕。这些图案包括舞蹈[*La Danse*]、渔猎[*Le Pêcheur*]以及收割[*Le Moissoneur*]题材。杜菲的其他设计包括，在印度布料[*Croisillons*

35. 劳尔·杜菲：墙纸设计，雕版印花，1929年。

35

de Pensées, Fleurs et Torsades]上设计装饰性的水果及花格，并且在后来演变成各种几何形的装饰图案[*Rectangles aux Striés, Motifs Hindous, Coquilles*]。直至1912年，杜菲都专门服务于马丁工作室[Atelier Martine]，在波烈同意其离开后，才加入了大型纺织工厂比安基尼–弗莱雷[Bianchini-Férier]，他在那儿一直工作至1928年。从1930至1933年，杜菲主要接受的设计委托是帮助位于纽约的奥内达加之家[Maison Onondaga]设计丝绸印花图案。

索妮娅·德劳内[Sonia Delaunay]是一位可以与杜菲媲美的纺织设计师，她创作了大量非常现代的、色彩丰富的纺织与毯子图案，同时她也从事舞台美术与戏服设计。

许多法国装饰艺术家设计各种各样以印花丝绸、棉布及亚麻（锦缎、浮花织锦、凸花厚缎与彩花锦缎）制作的墙饰、布帘与室内纺织品装饰，以美化他们的居室环境设计。在20世纪二三十年代巴黎沙龙展

36

36. 劳尔·杜菲：为莱昂·布歇的扶手椅所作纺织设计，1922年。

37. 爱德华·麦克奈特·考弗：羊毛地毯，手工编织，约1935年（伦敦克里斯蒂敬赠）。

[Paris Salons]的展览图录上，曾罗列了室内设计师安德烈·古鲁特、弗朗西斯·茹尔丹、埃米尔-雅克·鲁赫尔曼、雷奈·加布里埃[René Gabriel]、雷奈·赫布斯特、路易斯·苏与安德烈·梅尔、皮埃尔-保罗·蒙塔尼亚克[Pierre-Paul Montagnac]、费尔南德·内森[Fernand Nathan]、莱昂·贾洛特[Léon Jallot]、雅克和让·阿涅、托尼·赛尔莫斯汉[Tony Selmersheim]、保罗·弗洛特、莫里斯·杜弗雷纳的纺织品设计。

图案设计大致可划分为两个类型：植物类[floral]与几何类。后者经常由交叠的色块、抽象的线条、花草偶尔搭配动物或风俗题材组成。此外，巴黎的百货公司均自设计工作坊，制作色彩亮丽的现代主义设计以配合其室内设计装潢。他们当中有乐·蓬·马歇[Au Bon Marché]百货公司的工作室波莫纳（保罗·弗洛特、杰曼·拉贝[Germaine Labaye]、马塞尔·博维斯[Marcel Bovis]、史利斯[Mme Schils]），老佛爷百货公司的作坊大师工作室（莫里斯·杜弗雷纳、莱昂·马库西斯[Léon Marcoussis]、达纳尼斯[Daragnes]、克洛泽特[Crozet]、拉叙德里[Mme Lassudrie]），春天[Le Printemps]百货公司的青春

[Primavera]作坊（S.奥勒斯威兹[S. Olesiewicz]、玛德琳·劳格兹[Mme Madeleine Lougez]、保罗·杜马斯）以及卢浮宫[Le Louvre]百货公司的作坊卢浮宫工作室[Studium Louvre]（让·伯克哈尔特[Jean Burkhalter]、埃蒂安·科尔曼[Etienne Kohlmann]）。

　　法国人在织锦[tapestry]艺术方面大师辈出。传统上，织锦屏风可以用来划分室内空间，令冰冷的室内变得温暖起来。但18、19世纪期间对于挂毯的认识仍只是一种复制自绘画艺术的、缺乏主体性的编织物，直到让·吕尔萨在20世纪30年代开始为奥布松进行设计时才出现了变化。吕尔萨将面料[panel]设想为加重了颜色对比的几何构图。他提倡使用粗布，这样既降低了产品的制作成本，又使作品的构图变得极具特色、触感突出。在玛丽·库托里[Marie Cuttoli]的艺术指导下为奥布松所制作的织锦与地毯相当流行，显露出一种现代艺术家再创作中对于视错画[trompe l'oeil]传统的继承。吕尔萨保留了艺术家乔治斯·勃拉克

37

[Georges Braque]、劳尔·杜菲、亨利·马蒂斯[Henri Matisse]、乔治斯·鲁奥[Georges Rouault]、费尔南德·莱热[Fernand Leger]以及巴勃罗·毕加索[Pablo Picasso]在织物上所展开的卡通风格创作。这些艺术家所设计的大多数纺织品都让人感觉到，他们对织物材料的自然特性并不是很敏感，但已经被具有当代绘画审美趣味的顾客所接受。

在20世纪20年代，巴黎最为重要的室内设计企业与百货公司大量生产织锦装饰的坐具与屏风。特别是苏和梅尔工作室[Süe et Mare]，设计的织锦装饰的家具同时具备新古典与现代风格，由设计师保罗·维拉[Paul Véra]、古斯塔夫-路易斯·佐尔孟斯[Gustave-Louis Jaulmes]、马里安·克鲁佐[Marianne Clouzot]、玛格丽特·迪比森[Marguerite Dubuisson]、莫里斯·塔盖[Maurice Taquoy]所设计。在1925年的世博会上，查尔斯·迪弗雷纳[Charles Dufresne]在织锦上描绘了"保尔与薇吉妮"[Paul et Virginie]的故事，装饰在一套木质鎏金家具上，在苏和梅尔位于当代艺术馆[Musée d'Art Contemporain]的展示厅中展示。在大师工作室、老佛爷百货公司的设计工作室，莫里斯·杜弗雷纳聘用让·博蒙特[Jean Beaumont]为其设计色彩缤纷的屏风以及织锦椅垫。

软体家具面料是委托由法国传统织锦和地毯制造商生产的：国立博韦纺织工厂[La Manufacture Nationale de Tapis et Couvertes de Beauvais]、国立戈布兰工厂[La Manufacture Nationale des Gobelins]、奥布松纺织工厂、勃拉克尼和斯伊[Braquénie et Cie]与默尔布尔[Myrbor]公司，他们均拥有属于自己的设计团队。

1932年下水的诺曼底号邮轮，为法国的织毯艺人带来了一项特别的设计任务，即为邮轮大厅[oceanliner's Grand Salon]制作所有的坐具装上软垫。在戏剧性的辉煌背景中摆放，杜帕斯的银与镀金玻璃[verre églomisé]壁画与让·博蒙特[Jean Beaumont]24英尺长、乳白色背景上装饰着鲜红色藤萝的帷帐，还有数百个椅套以及由F.高迪沙特[F. Gaudissart]设计、奥布松生产的织锦垫子，上面都装饰着来自法国各殖民地的花卉图案。鲜艳的橙红与灰白色背景上的大量的象牙白与淡褐色，与金银箔的壁画形成强烈的对比，为这个"漂浮的宫殿"缔造出一个任何民族都无法比拟的辉煌景象。

20世纪20年代，现代纺织品与热转印纸在大不列颠越来越流行。一些值得注意的证据表明，几何形的图案纺织品是由威廉·福克斯顿[William Foxton]与伦敦公司所生产，设计者有查尔斯·雷尼·麦金托什[Charles Rennie Mackintosh]、明妮·麦克利什[Minne McLeish]、格雷戈里·布朗[Gregory Brown]、克劳德·罗瓦特·弗雷泽[Claude Lovat Fraser]，时间上可追溯至20世纪10年代后期。

福克斯顿的织物设计曾在1925年的世博会上展出，但到20世纪30年代，英国的纺织企业变得热衷于迎合现代风格的设计。其中一家纺织企业的负责人便是兼画家、设计师与装饰艺术家身份于一身的艾伦·沃尔顿[Allan Walton]，他曾受委托为瓦内萨·贝尔[Vanessa Bell]、邓肯·格兰特[Duncan Grant]、弗兰克·多布森[Frank Dobson]、塞德里克·莫里斯[Cedric Morris]、玛格丽特·西蒙[Margaret Simeon]、T.布拉德利[T. Bradley]、H.J.布卢[H. J. Bull]提供设计。另一家是爱丁堡织工厂[Edinburgh Weavers]，由莫顿工作室[Alistair Morton]指导，包括艺术家汉斯·蒂斯德尔[Hans Tisdall]、阿什利·哈文登[Ashley Havinden]、特伦斯·普伦蒂斯[Terence Prentis]、马里奥·马里尼[Mario Marini]、威廉·斯科特[William Scott]、乔·蒂尔森[Jo Tilson]、基思·沃恩[Keith Vaughan]为其提供设计。在后来的公司中，最为著名的生产线是1937年由芭芭拉·赫普沃斯[Barbara Hepworth]与本·尼科尔森[Ben Nicolson]共同创作的构成主义设计生产线。其他关注并在设计中加入现代主义风格的还有，例如托马斯·巴

38

洛爵士[Sir Thomas Barlow]的赫利俄斯[Helios]，以售卖马里安·斯特劳[Marianne Straub]设计的家具纺织品为主；位于邓迪的唐纳德兄弟公司[Donald Bros Ltd of Dundee]，以其老格拉米斯[Old Glamis]产品线而闻名；还有老比利公司[Old Bleach Linen Co. Ltd]，以马里恩·多恩以及保罗·纳什[Paul Nash]为主的纺织与印花设计师。

瓦内萨·贝尔与邓肯·格兰特的绘画风格被很好地转换到艾伦·沃尔顿[Allan Walton]的纺织品印花设计上。然而，他们致力于设计带有后印象派[post-Impressionism]风格的室内家具工作坊奥米茄[Omega Workshop]在1919年关闭后，贝尔与格兰特的创作逐渐转向更为纯粹的装饰设计。从1913年开始直到"二战"爆发，他们引入了十多款具有19世纪英格兰式"温馨"特色的印花织物设计，同时呼应了20世纪30年代法国花哨的印花潮流。

在20世纪20年代，贝尔与格兰特也设计刺绣油画[needlepoint canvases]，邓肯·格兰特的母亲埃塞尔·格兰特[Ethel Grant]及画家玛丽·荷加斯[Mary Hogarth]都十分擅长这种工艺。这些作品曾在1925年举办的"现代刺绣作品展"上展出，1932年又在维多利亚与阿尔伯特博物馆[Victoria & Albert Museum]展出。当中有两款作品最能代表他们在20世纪30年代的设计水准。第一款是1932年展示于勒费夫尔画廊[Lefevre Gallery]音乐厅的作品。格兰特的"葡萄"[Grapes]

38. 根塔·斯泰德勒-斯特尔茨尔：蛋彩画
设计，1923年。
39. 鲁斯·里夫斯，设计师及其设计的作
品，1920年后期。

39

设计，以大胆的重复母题，非常有效地成为整个房间的焦点，沿着整面高墙倾泻而下，同时作为安放两把小椅子与一张长靠椅的背景。第二款是1935年尚未完成、来自邱纳德邮轮公司[Cunard Liner]的设计委托为玛丽皇后号[R. M. S. Queen Mary]设计的躺椅。由于大多数渡洋旅客认为格兰特的设计太过复杂，从而导致了这项委托的中止。取而代之的装饰是其时更为知名的"莱斯特广场电影院"[Leicester Square Cinema]设计。

致力于使人们恢复对印花纺织兴趣的菲利斯·巴伦[Phyllis Barron]与多罗西·拉尔谢[Dorothy Larcher]的工作坊最初设于汉普斯特德，其后移至格洛斯特。该作坊的图案设计涵盖了从拉尔谢在英格兰传统印花设计的基础上对花卉的自然主义演绎，到巴伦简化而醒目的几何形设计。他们的特色是采用在印度布料上通过酸性物质漂染出装饰

44

图案的拔染[Discharge printing]工艺。1925年，伊妮德·马克思[Enid Marx]也加入到他们的工作坊，并在两年后成立自己的工作坊。在1937年为她伦敦客运委员会[London Passenger Transport Board]设计的室内纺织品，以及在"二战"期间参与的公共设计计划[Utility Design Scheme]为她博得了极高的赞誉。

　　画家保罗·纳什[Paul Nash]在纺织品与地毯印花设计上进行了大量别出心裁的现代设计实践。例如1933年设计的纺织品装饰《樱桃园》[Cherry Orchard]，展现出他在自然主义母题方面独特的设计手法。他在1936年设计的《赋格曲》[Fugue]以抽象的平面图形表现非具象的装饰题材。

　　马里恩·多恩以她现代主义风格的凸纹地毯设计闻名，但同时她

40. 唐纳德·德斯基：立体主义形式的重复图案纺织设计；绿色、褐色与乳白色水粉及石墨色（唐纳德·德斯基收藏，库珀休伊特博物馆敬赠）。**41**. 苏和梅尔：法国艺术公司羊毛地毯，20世纪20年代后期。**42**. 费尔南德·内森：手工编织地毯，20世纪20年代。
43. 泽尔尼亚克：为大师工作室设计的羊毛地毯，约1930年。
44. 让·吕尔萨（提供）：羊毛地毯，20世纪20年代。

也进行纺织品设计。与平面艺术家爱德华·麦克奈特·考弗[Edward McKnight Kauffer]的往来影响了她的设计风格。她在20世纪30年代后期设计了一些相对简单而又造价低廉的作品，包括后来被应用于奥卡德斯号[Orcades]邮轮头等舱客厅居室创作的"航空器"[Aircraft]设计。

谈及20世纪30年代不列颠纺织品的发展，不能不提到埃塞尔·梅雷[Ethel Mairet]。她在苏塞克斯的迪切宁乡间的福音纺织工作室[Gospels weaving studio]是印刷家埃里克·吉尔[Eric Gill]所创建的社团的组成部分。梅雷坚信手工工匠的重要性，并且在其早期的纺织设计中反映出她当初对工业生产的怀疑。但当她遇到其他的设计师，尤其是遇到来自包豪斯的设计师根塔·斯泰德勒-斯特尔茨尔[Gunta Stadler-Stölzl]时，她才逐渐相信在批量生产过程中也不会丧失其特别的纺织设计特色。在战后时期的纺织品设计领域，实用设计组织[Utility Design Panel]开始制作简约的纺织设计作品，这要归功于梅雷对兼顾艺术与工艺的纺织设计所做出的贡献。

在奥地利，纺织品创作得以从维也纳手工工场[Wiener Werkstätte]成功独立出来，在1910年左右建立起一个单独的纺织工作坊，并在1917年建立起独立的对外零售业务。纺织品与地毯只是作为整个室内装潢设计的一小部分，这非常符合维也纳手工工场所倡导的"整体艺术"[Gesamkunstwerk]高于一切的设计原则（室内设计作为一个整体环境的概念），但成本方面的因素使其最终求助于批量生产。

鉴于约瑟夫·霍夫曼[Josef Hoffmann]与科罗曼·莫塞[Koloman Moser]早期的纺织品与地毯设计明显的几何化与几乎一成不变的单色或黑白色设计，20世纪10年代后期及20年代的维也纳手工工场在纺织品设计方面逐渐加入了更多的色彩，在其他材料上呈现具有工作室设计特色的异想天开的装饰图案。在美国，维也纳手工工场美国公司[Wiener Werkstätte of America Inc.]通过他们在纽约的分公司以及马歇尔·菲尔德[Marshall Field]公司在芝加哥发售各种纺织品，包括餐布。他们富于想象力的花边与刺绣设计融合了传统技法与巧妙的用色。流行的装饰题材包括来自马蒂尔德·弗洛格[Mathilde Flögl]、卡米拉·伯克[Camilla Burke]、弗兰兹·凡·居罗[Franz von Zülow]稀奇的花卉印花设计，以及玛利亚·里卡兹-斯特劳斯[Maria Likarz-Strauss]取法非洲艺术的几何形设计，还有达哥贝尔·贝希[Dagobert Peche]特别的"施皮茨巴洛克"[Spitzbaroc]纹样设计。

墙纸同样也由塞鲁巴·弗克[Salubra Werke]与弗莱莫舍和斯泰因曼[Flammersheim & Steinmann]专门为维也纳手工工场制作。贝希在1919年及1922年为其创作了大量的墙纸款式，其中一款设计被选作1925年世博会上澳大利亚设计部分的图录封面。贝希的同事玛利亚·里卡兹-斯特劳斯在1925年创作了一系列具有代表性的墙纸设计，马蒂尔德·弗洛格的代表作也在1929年被收录进工作坊的作品系列中，但三年之前马蒂尔德·弗洛格的工作坊已因破产而倒闭。在这一时期，维也纳手工工场富有想象力的墙纸图案设计极为流行。毋庸讳言，贝希、约瑟夫·霍夫曼、马蒂尔德·弗洛格、弗兰兹·凡·居罗、路德维希·亨利·容尼克尔[Ludwig Heinrich Jungnickel]、阿诺德·尼詹斯凯[Arnold Nechansky]以及里克斯姐妹[Rix sisters]吉蒂[Kitty]和费利斯[Felice]，在这段时间里设计出了多达上千款的作品。在20世纪20年代中期，霍夫曼已经对其在战前迷人的人字形[herringbone]及虚线纹样[dash pattern]进行了设计简化。

在苏维埃"十月革命"的映照下，设计师以一种崭新的眼光看待纺织品装饰设计并尝试发展出一种全新的审美语言。象征革命的题材，如电气化、工业以及废料利用之类的主题往往也具有巨大的魅力，这些被瓦尔瓦拉·斯捷潘诺娃[Varvara Stefanova]等设计师所采用。斯捷潘诺娃在她与亚历山大·罗钦科[Alexander Rodchenko]的设计作品中

发展出自己的一套艺术哲学，并且在莫斯科艺术文化研究院[Inkhuk]
与呼捷玛斯[Vkhutemas]中扮演着重要的角色。她与柳波芙·波波瓦
[Liubov Popova]为莫斯科的第一国家纺织工厂创作了十分简约的、带
有几何装饰图案的织物设计。在此之后斯捷潘诺娃设计的墙纸带有明显
的构成主义倾向。

在德国，包豪斯对纺织品设计的影响不容忽视。诸如昆塔·施塔
德勒-施托兹[Gunta Stadler-Stölzl]与安妮·艾尔伯斯[Anni Albers]这
样的纺织设计师，她们的事业在"二战"以后蒸蒸日上，推动了早期纺
织品领域设计的生产发展变化。事实上，战后大量的纺织工业都将其
成功归功于包豪斯所力图发展的"工业范本"[prototypes for industry]
目标。装饰材料成为关注的重点，每一种纤维的装饰效果都取决于其色
彩、肌理以及触感。对材料的掌控超越了其他所有因素，成为工业设计
生产的关键。

昆塔·施塔德勒-施托兹自1926至1931年独立指导包豪斯的纺织工
坊，在她的天才与领导下，包豪斯纺织设计的批量生产成为现实。这所
作坊早期的设计显示出它与保罗·克利[Paul Klee]的色彩作品之间有着
密切的关系，克利的教学促使包豪斯的艺术家们从战前迟滞的传统图案
与装饰应用观念中解放出来。克利相信艺术不应该仅仅是对自然事物的
表面模仿，而应该尝试捕捉其变化的方式。在包豪斯之外，现代的印花
与手工纺织在哈雷的一所工业艺术学校[Kunstgewerbeschule]及德意志
制造联盟[Deutsche Werkbund]中得以生产。其时著名的独立设计师有
布鲁诺·保罗、弗里兹·A.布雷豪斯[Fritz A. Brehaus]以及理查德·莱
斯克[Richard Lesker]。

现代的比利时纺织设计师明显受到了其近邻德国的影响，偏好
柔和的色调。来自沙德勒工作室[Studio de Saedeleer]的夏侯·吉
丁[Jaap Gidding]与保罗·希撒[Paul Haesaerts]擅于创作几何底纹

的秘鲁印第安人及非洲部落母题装饰的亚麻与织锦。在范德勃特公司[Vanderborght frères]，塞尔维·菲隆[Sylvie Féron]通过组合重叠的三角形、之字形与小方形设计出了活泼的几何形图案。达茜[Darcy]为彼得斯-拉克鲁瓦工厂协会[Société des Usines Peters-Lacroix]设计了在朴素背景里加入几何形及奇花异草图案的辊筒印花[roller-printed]墙纸，并在1925年的世博会上展出。

尽管法国装饰艺术运动早期的迷幻色彩对于保守的美国公众来说过于大胆，但自1926年法国纺织品在纽约大都会美术馆[Metropolitan Museum of Art, New York]展出，以及1928年以后出现在美国百货公司以后，大家逐渐明白现代主义并非心血来潮。其时美国的百货公司开始提供来自奥布松、科尔尼耶[Cornille frères]、比安基尼-弗莱雷等厂家的符合需求的产品。

其时美国仅有一小部分手艺出众的纺织设计师被记录在案，包括鲁斯·里夫斯[Ruth Reeves]、亨丽埃特·瑞斯[Henriette Reiss]、佐尔坦·赫克特[Zoltan Hecht]、洛哈·萨里宁[Loja Saarinen]。开始在其传统运作中加入现代生产线的小型纺织企业，包括南希·麦克利兰[Nancy McClelland]以及M.H.伯奇公司[M. H. Birge & Co]等。

20世纪20年代后期与20世纪30年代早期，纽约的美国设计师美术馆[American Designers Gallery]、当代艺术馆[Contempora]以及美国艺术家与工匠联盟[America Union of Artists and Craftsmen, AUDAC]举办了三个展览，展出美国设计师的作品以推动现代主义运动的发展。其中作为室内设计的组成部分展示了赫尔曼·罗斯[Hermann Rosse]、沃尔夫冈、帕拉·霍夫曼、欧仁·舍恩[Eugene Schoen]、约瑟夫·奥本[Joseph Urban]、亨利·瓦纳姆·普尔[Henry Varnum Poor]、唐纳德·德斯基等设计师所设计的地毯。这些纺织品大部分由小型的地方纺织团体制作，例如新英格兰行会[New England

Guild]、康涅狄格州手工工业[Connecticut Handicraft Industry]、
新时代工作者[New Age Workers]、当代美国艺术家手工织毯行会
[Contemporary American Artists Handhooked Rugs Guild]。

匈牙利裔姐妹玛丽斯卡·卡拉斯[Mariska Karasz]和伊隆卡
[Ilonka]，将丰富新颖的色彩融入传统的民间艺术装饰题材。野兽派的
影响在她们刺绣作品的色彩与图案上表露无遗。她们的作品由伊隆卡负
责设计，玛丽斯卡负责制作。另一位受民间艺术启发的美国艺术家是
莉迪亚·布什-布朗[Lydia Bush-Brown]，她恢复了蜡染技术，并加入
颇具特色的中东地区风格及现代风格的母题。在织锦壁挂方面，洛伦
兹·可莱泽[Lorentz Kleiser]与玛格丽特·佐拉奇[Marguerite Zorach]
成为美国现代设计师中的先锋。

鲁斯·里夫斯的设计作品反映出美国在本土语言适应现代装饰
设计方面的探索。20世纪20年代，里夫斯与费尔南德·莱热在巴黎
的合作，给她的编织与印花设计留下了明显的立体主义印记。20世
纪30年代，斯诺恩[W. & J. Sloane]百货公司展示了里夫斯的29款设
计，反映出美国企业开始展现新风格在商业方面的可行性。"静物
与人物"[Figures with Still Life]、"曼哈顿"[Manhattan]以及"电
流"[Electric]等作品展现出里夫斯对内在充满活力的几何形式的浓厚
兴趣。里夫斯最为成功的作品是为城市音乐厅播音室设计的带有不断重
复的抽象图案的地毯。她的设计大量采用不同类型的面料，包括印花棉
布、方形粗布、薄纱丝绒与平纹细布。

唐纳德·德斯基是这一时期美国最为重要的现代主义设计师，
他设计的饰有不对称几何形纹样的纺织品独具魅力（图40）。摄影
师爱德华·斯泰肯[Edward Steichen]为斯戴利丝绸公司[Stehli Silk
Corporation]设计独特的丝绸制品，用黑白照片的方式对从不同角度
照明的日常物体进行再创作，并以此创造出充满冲击力的机器时代的装

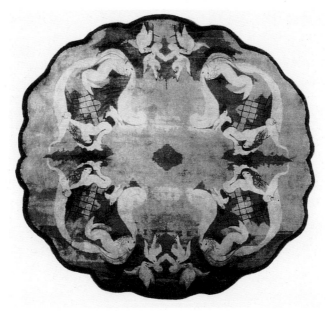

45

饰图案。

至1930年，现代主义纺织运动在美国开始进入状态，其设计信念追求形式与色彩上的简约。朱尔斯·布伊所设计的"三联"［Triptych］——一种以三种互补色调的黄色装饰的印花纺织品，便是这类设计的绝佳代表。

毯子与地毯

在20世纪20年代，毯子为巴黎豪华的室内装饰增添了一种装饰性的特色。莫里斯·杜弗雷纳、保罗·弗洛特、苏和梅尔、埃米尔-雅克·鲁赫尔曼、朱尔斯·勒鲁、雷奈·加布里埃尔、费尔南德·内森、

45. 玛丽·洛朗桑：羊毛毯子，约20世纪30年代。

弗朗西斯·茹尔丹、埃利斯·迪杰奥-邦佐瓦[Elise Djo-Bourgeois]、安德烈·古鲁特以及其他的设计师经常通过地毯来完善他们的室内装饰设计（图41、图42）。20年代末期，在现代艺术家联盟[Union des Artistes Modernes, U. A. M.]最初的展览上，在皮埃尔·夏罗、迪杰奥-邦佐瓦、雷奈·赫布斯特为代表的一批室内设计师设计的金属为主导冷峻的房间内毯子通常是唯一的温暖和增加气氛的元素。

正如现代的纺织品一样，现代的毯子与地毯设计也有着一系列的花卉、抽象的以及几何形图案可供选择，由奥布松（爱德华·本尼迪克图斯[Edouard Bénédictus]、保罗·维拉、亨利·罗宾[Henri Rapin]、保罗·戴尔汤比[Paul Deltombe]、L.瓦尔达[L. Valtat]），默尔布尔（路易斯·马库西斯[Louis Marcoussis]、约瑟夫·卡萨基[Joseph Csaky]、费尔南德·莱热、让·吕尔萨），大师工作室（莫里斯·杜弗雷纳、雅克·阿涅、苏珊娜·吉吉雄[Suzanne Guiguichon]、马歇尔·梅森尼尔[Marcelle Maisonnier]、劳尔·哈朗[Raoul Harang]、让·博纳特[Jean Bonnet]、雅克·克莱因[Jacques Klein]），马丁工作室（劳尔·杜菲），波莫纳工作室（保罗·弗洛特），现代室内装饰公司（德萨[Drésa]、多伯曼[Boberman]、保罗·弗洛特），青春作坊（S·奥勒斯威兹、柯莱特·戈登[Colette Guéden]），苏和梅尔（保罗·维拉、安德烈·梅尔），皮埃尔·夏罗（让·吕尔萨、让·伯克哈尔特）所设计。还有其他一些优秀的设计师开始独立从事这方面的设计工作，例如：马塞尔·库贝[Marcel Coupe]、雅克·克莱因、马科斯·维贝尔[Mlle Max Vibert]、莫里斯·梅特[Maurice Matet]、让·博纳特[J. Bonnet]、S. 马诺耶尔[Mme S. Mazoyer]以及亨利·法维[Mme Henri Favier]。

法国的画家偶尔也会在地毯设计方面展现他们的才华，他们的

46　　　　　　　　　　　　　　　　　　　　　　　　　　　47

设计融合了抽象与立体主义的风格。值得关注的例如受玛丽·库托里 [Marie Cuttoli] 委托的艺术家与画家玛丽·洛朗桑 [Marie Laurencin]，她曾为安德烈·古鲁特创作，将其艳丽的花卉作品融入地毯设计。质量最好的地毯由手工编织 [à la point noué] 而成。当时合成纺织材料成了可供使用的媒材，以合成纤维与植物纤维制作的实验作品与新型的耐洗纺织材料已亮相于巴黎的沙龙展览。

　　在巴黎最为成功的毯子与地毯设计均出自伊凡·达·席尔瓦·布鲁恩斯 [Ivan da Silva Bruhns] 之手。"一战"刚结束，法国巴黎迎来了柏柏尔 [Berber] 与摩洛哥 [Moroccan] 纺织品展览，达·席尔瓦·布鲁恩斯的早期作品也借鉴了美国印第安人的装饰题材。但从20世纪20年代中期开始，其设计风格演变成具有冲击力的立体主义特色的几何形设

46. 伊凡·达·席尔瓦·布鲁恩斯：中心带有几何形图案的羊毛毯子，编织有艺术家姓名的首字母组成的组合图案，1930年。**47**. 伊凡·达·席尔瓦·布鲁恩斯：手工编织地毯，20世纪20年代。

48

计。他常用的颜色包括米黄、锈色、赭石以及灰白色。立体主义同样也在伊莲娜·亨利[Hélène Henri]的现代派设计中产生影响，她延续了弗朗西斯·茹尔丹与罗伯特·马莱-史提文斯以及皮埃尔·夏罗的设计特色。

出生于爱尔兰的现代设计师艾琳·格雷用地毯来缓和她过于朴素严肃的室内设计。她明快而凌厉的设计在年度沙龙展[annual Salon]及让·迪赛特[Jean Désert]艺廊里展出。其代表作是1927年设计的"黑板"[blackboard]毯子。与艾琳·格雷的设计风格一致的迪斯尼之家[La Maison Desny]推介此款地毯用于搭配金属家具与灯具。

在不列颠，随着20世纪30年代后期现代主义的逐渐流行与适应，

48.弗朗西斯·茹尔丹：手工编织地毯，20世纪20年代。

一大批装饰企业开始零售各种款式的毯子与地毯。平面设计师爱德华·麦克奈特·考弗的几何图案毯子设计被运用在设计师戴维·普莱德尔·布弗里[David Pleydell Bouverie]与雷蒙·麦格拉斯[Raymond McGrath]的室内设计里。贝迪·约尔最初采用伊凡·达·席尔瓦·布鲁恩斯设计的毯子，后来她开始自己设计地毯款式。中国的织造也在她的装潢设计中时而得到吸收与运用。弗朗西斯·培根[Francis Bacon]也亲自设计地毯以完善其室内设计。

1930年，弗兰克·布朗温爵士[Sir Frank Brangwyn]为杰姆斯·邓普顿公司[James Templeton & Co]设计的地毯融合了19世纪与现代主义的元素，其高度装饰的风格让人联想到他所设计的纹样象征着不列颠帝国上议院[House of Lords]皇家美术馆[Royal Gallery]的富有。

美国移民马里恩·多恩有着"地板建筑师"[architect of floors]的绰号。他在20世纪20年代初期与麦克奈特·考弗合作，致力于尝试蜡染的纺织品设计，并由切尔西[Chelsea]织工让·奥莲治[Jean Orage]进行制作。1929年，他们为高级威尔顿公司[Wilton Royal]所做的设计在亚瑟·图斯美术馆[Athur Tooth galleries]展出。1934年，多恩建立起了自己的同名设计公司[Marion Dorn Ltd]，主要专注于手工制作与民俗艺术风格的毯子设计。多恩巧妙的融合了不同的风格，为考弗绝妙的几何图案增添了纹理上的趣味。她的毯子设计既能突出奥斯瓦尔德·米尔恩[Oswald Milne]设计的克拉里奇酒店[Claridge's Hotel, 1935]的室内装饰的特点，同时保持其设计的优雅性，又能为布赖恩·奥·洛克[Brian O'Rorke]所制作的猎户座邮轮[*R. M. S. Orion*]含蓄的室内设计增添一份戏剧化的张力。

在德国，除了包豪斯的根塔·斯泰德勒-斯特尔茨尔与安妮·阿尔伯斯擅于运用几何图案设计毯子，还有艾迪斯·艾伯哈特[Edith Eberhart]也创作具有现代设计风格的毯子，其特征让人联想到斯泰德

49

勒-斯特尔茨尔的设计；玛丽·汉尼奇[Marie Hannich]设计的毯子以几何形手法表现车船与高楼大厦具有冲击力的图像；还有布罗哈德·海瑟[Brehard Hesse]与海德维格·贝克曼[Hedwig Beckemann]也以几何形风格进行设计创作。

在美国，有三个特别的展览促进了现代风格地毯设计的发展，它们分别于纽约艺术中心[Art Center，New York，1928]、纽瓦克博物馆[Newark Museum, 1930]以及纽约大都会艺术博物馆举办。其时，美国公众首次亲眼见到欧洲纺织品设计师的先锋设计。与德国设计师（布鲁诺·保罗、恩斯特·勃姆[Ernst Boehm]、威廉·普特[Wilhelm Poetter]）极度对称的设计不同，爱德华·麦克奈特·考弗以及马里恩·多恩的作品率真缤纷，达·席尔瓦·布鲁恩斯[da Silva Bruhns]的

49. 弗朗西斯·培根：几何形图案羊毛毯子，20世纪30年代。
50. 埃德加·布兰特："绿洲"屏风局部，熟铁与黄铜装饰，1924年（罗伯特·扎希尔收藏）。

50

创作精致且带有异国趣味，苏和梅尔的花卉纹样富有传统规范，马丁工作室的花卉纹样具有地方特色，彼此间形成了鲜明的对照。

斯堪的纳维亚的设计理念在"二战"后逐渐成为主流的美国纺织工作者中得到传播与显现，克兰布鲁克学院[Crankbrook Academy]在其中扮演了一个重要的角色。洛哈·萨里宁的纺织工作室建立于1928年10月，同时完成了一批特别的设计委托，并在1929年成立了一个纺织车间，当中的人员，如执行建筑师与设计师，全都是来自斯堪的纳维亚侨民所，例如弗兰克·劳埃德·赖特[Frank Lloyd Wright]。洛哈·萨里宁的风格实际上通常就是克兰布鲁克纺织的风格，带有一种冷静的色调，既没有鲜明的几何形也没有纯粹的具象装饰题材。当斯蒂芬·桑德福父子[Stephen Sanford & Sons]与比奇洛·哈特福德[Bigelow Hartford]等美国工厂最终接受现代设计是势不可挡的潮流时，他们委托诸如设计师拉尔夫·皮尔森[Ralph Pearson]、T. 贝托[T. Betor]与帕拉·霍夫曼以一种很大程度上是从欧洲现代主义派生出来的风格进行设计。与此同时，中国织造的、由现代主义设计师与传统室内设计师合作设计的、符合装饰艺术运动图案的毯子在美国亦有相当的市场。

第三章 | 铁艺与灯饰

铁艺

　　战争期间，正是法国熟铁艺术发展的黄金时代。建筑中线性简约、清晰的新风格尤为适合铁艺装饰。熟铁常被运用于室外的栅栏、窗栅与门栅，或者室内的电梯轿厢、扶手、栏杆、壁炉家具以及各种其他的装潢设计的制作中，包括灯座、桌案以及屏风。电梯的升降轿厢成为门厅引人注目的装饰焦点，轿厢的装饰需要极为考究地配合周围的护栏与入户门的设计。只有在需要设计传统款式的家具时，诸如桌子及室内隔板，现代的熟铁工艺师才会偶尔制作那些会改变总体装潢效果的作品。由于金属本身比较沉重，所以最好是偶尔使用或集中在局部使用。熟铁工艺最为出色的用途是制作灯具。

　　装饰艺术运动的熟铁设计按照时间发展的顺序可以划分为两个阶段。第一阶段由跨越世纪末[fin-de-siècle]的设计师所引领，他们将源于自然的鸟雀、花卉、猎狗、羚羊、云朵、清泉以及旭日的设计灵感融入到以延伸与夸张作为主导形式的高度装饰艺术的风格之中。第二阶段是在1925年后出现的更为建筑化的风格，机械、飞机、轮船规整的线条逐渐获得了发展。

　　这个时代最为杰出的铁艺师是埃德加·布兰特，他为大量私人住所和酒店创作花格与铁艺装置，也接受过诸如1921年在凡尔登附近的"一战"纪念碑[La Tranchée des baïonnettes]之类的著名公共设计的委托。他为法国岛号、巴黎号[Paris]、诺曼底号邮轮设计的铁艺装置，进一步提高了其声誉。布兰特还经常参加年度沙龙[annual Salon]，展示他各种各样的非建筑方面的金属设计，包括花格、炉盖、灯具与台座之类。

　　1925年的世博会为布兰特带来了展示其大量作品的机会，令人印象深刻的展览入口——荣耀门[Gate of Honour]就是布兰特的作品。他在荣军院广场[Esplanade des Invalides]上展示的作品中包括他著名的、结合有黄铜点缀的"绿洲"[Oasis]五扇熟铁屏风。后面这件作品展现了他综合使用材料的能力：在20世纪20年代，他极为频繁地采用熟铁与青铜或铜镀金，后来还加入了钢、铝以及"斯塔"[Studal]锻造铝基合金。

　　雷蒙·苏珀在其工作的涉及的范围及品质方面仅随布兰特之后。作为著名建筑公司博德利尔和罗伯特[Borderel et Robert]的艺术指导，

51

52

51. 埃德加·布兰特: "阿尔泰斯", 熟铁支撑架与大理石台面, 约1925年。**52**. 埃德加·布兰特: "绿洲" 屏风, 压花铜木胎, 约1924年。**53**. 埃德加·布兰特与多姆: 台灯, 熟铁与玻璃, 20世纪20年代。

53

54

他在20世纪20年代承接了大量建筑设计委托：教堂、公墓、纪念碑、展览厅以及酒店。他也参与年度沙龙展，以展示其家具方面的设计，但从这些小件设计上却难以体现出他的重要性；他在建筑外观上的许多精心杰作［*tours de force*］仍未得到确认，或仅有部分在粗暴清除之下幸存于酒店楼梯栏杆上。更多的是，当法国岛号、大西洋号、法兰西号以及诺曼底号邮轮破败以后，这些设计都被废弃或毁掉了。

苏珀在沙龙展上的展品也包括他为其他参展者所做的设计，例如1927年为鲁赫尔曼的书柜所制作的钢架，以及为迈克尔·洛克斯-施皮茨［Michel Roux-Spitz］用熟铁工艺制作的大门。他后来又为莫里斯·贾洛特与阿尔弗雷德·波顿纽威［Alfred Porteneuve］提供设计。在1925年的世博会上，他为法国使馆、典藏酒店以及手工艺与应用艺术协会［La Société de L'Art Appliqué aux Métiers］的展示厅设计铁艺作品。

相较于布兰特，苏珀在金属选择方面具有一个基本的偏好：他有时会将熟铁与青铜及带铜绿青铜［patinated copper］结合使用，在20世纪30年代加入了铝与钢，后来还采用氧化技术或髹漆工艺加以装饰。

55

56

　　朱尔斯与迈克尔·尼克斯[Michel Nics]是来自匈牙利的兄弟
俩，他们在巴黎以尼克斯公司[Nics frères]之名开展设计工作，为家
具乃至建筑装饰制作门类齐全的铁艺作品。通过出色的手工捶打技术
[*martelé*]进行表面处理，并且大多采用怀旧[*passé*]的自然主义装饰题
材。他们反对模压[die-stamping]及锉工[file work]，并声称他们代之
以手工捶打，比照过去最为出色的工匠的手工技术创造出他们的作品。

　　1925年举办的世界博览会成为现代金属工艺师与装饰设计师的
试验场。在他们之中，取得成功的有蒙塔尼亚克与勒·邦佐瓦[Le

54. 雷蒙·苏珀：熟铁与大理石壁炉台时钟。55. 雷蒙·苏珀：熟铁与大理石桌子，雪花石
灯罩台灯。56. 尼克斯公司：熟铁台座，镜子与果盘，手工捶打制作。

57

58

Bourgeois]。皮埃尔-保罗·蒙塔尼亚克是一位画家，也从事挂毯、家具与熟铁装饰设计。他的合作者加斯顿-艾蒂安·勒·邦佐瓦[Gaston-Etienne Le Bourgeois]是一位深受立体主义影响的著名雕塑家。在金属装饰设计方面，他们以一种含蓄的手法成功地将现代与传统结合在一起。施瓦兹-欧蒙[Schwartz-Hautmont]公司也在世博会金属器的板块中展出其艺术总监·施瓦兹[Jean Schwartz]所制作的金属装饰设计，还有建筑师M. 托马斯[M. Thomas]为大皇宫美术馆[Grand Palais des Beaux-Arts]和斯克瑞博酒店[Hôtel Scribe]设计的金属栅栏，为莎玛丽丹百货公司[Grand Magazin de la Samaritaine]设计的外墙罩架[marquee for the façade]。

金属装饰设计师理查德·德瓦利埃[Richard Desvallières]在20世纪20年代创作了一些非常特别的作品，在装饰艺术运动磅礴的气势[massive presence]与新艺术运动蜿蜒[sinuous]的线条之间进行了细致的平衡，形成了一种过渡风格。

保罗·杰斯[Paul Kiss]在其早期职业生涯里曾与布兰特合作，尽管他们的作品各具特色，但都展现出了一种类似的抒情品质（图57）。在装饰艺术家协会沙龙与法国艺术家协会[La Société des Artistes Français]的沙龙展上，杰斯展示了种类繁多的熟铁家具与灯饰设计。其时，专注于熟铁制作的其他设计师还包括爱德华[Edouard]与马塞尔·施内克[Marcel Schneck]、阿德尔伯特·绍博[Adalbert Szabo]、路易斯·吉古[Louis Gigou]、查尔斯·皮盖[Charles Piguet]、弗莱德·佩雷[Fred Perret]、吉伯·佩罗纳特[Gibert Poillerat]、爱德华·德莱恩[Edouard Delion]、罗伯特·马塞利斯[Robert Merceris]以

57. 保罗·杰斯：熟铁书桌，雪花石灯罩台灯。58. 法国（佚名设计师）：壁镜，熟铁，20世纪20年代。

59

及保罗·拉菲涅[Paul Laffillée]。

　　20世纪20年代后期与20世纪30年代的金属装饰设计十分依赖于工艺家的个人名声，这导致很容易忽略那些重要的装饰公司为保证其室内设计风格的整体性而创作的金属装饰物。这是一种应需求所做的生产，以制作商品为目的，但制造出的这样设计精良的装饰性五金件，十分难得。

　　几乎所有的巴黎装饰企业都曾经与方丹公司[Fontaine et Cie]合作过，该公司在制作装饰性五金件方面已逾百年。这也是唯一一家愿意承

59. 威廉·亨特·迪德里希："狐狸与猎犬"挡火网屏，熟铁与金属丝网，20世纪20年代后期（洛伦佐美术馆收藏）。

担经济风险去制作精良设计、体量足够大、价格合理的五金件的公司。方丹公司成功的其中一个原因在于它委托众多著名的雕塑家与装饰设计师进行设计。例如苏和梅尔设计的熟铁家具和装饰器物：镜框、火炉栏、时钟、吊灯、落地灯和台灯以及一条完整的五金件生产线，完全展现出这家公司典型而整体、稳固而美观、自然形式的特色，通过镀金、镀银或仿铜，以及之后开始生产的抛光铝，运用错视画的形式表现褶裥[pleated]"织物"[fabric]。雕塑家保罗·维拉与方丹公司的设计密切相关。

家具设计师雷奈·普鲁的作品比苏和梅尔更具现代主义风格，他也接受过方丹公司的设计委托。其设计特色是为经过不同表面处理方式处理过的金属器具添加几何形的装饰题材，从而使金属器赋有一种饶有趣味的光泽。其他留在企业当中的著名设计师与艺术家还包括安东尼·布德尔[Antoine Bourdelle]、阿里斯蒂德·马约尔[Aristide Maillol]、约瑟夫·伯纳德[Joseph Bernard]、保罗·佐菲、皮埃尔·普瓦松[Pierre Poisson]。

虽然在室内金属装饰的接受上美国最初落后于法国，但到了20世纪20年代后期，在1925年巴黎世博会的影响下，埃德加·布兰特在纽约开设了布兰特铁艺[Ferrobrandt]工作室，金属装饰随之在美国变得流行起来。大量美国的设计师与工艺家也开始创作各种各样的室内或户外铁艺设计。

奥斯卡·巴赫[Oscar Bach]或许是当时唯一一位可以通过其高超技术与法国铁艺[ferronniers]相媲美的美国铁艺师。他出生于德国，1914年移民美国之前已经在职业上取得了成功。他精通许多种类的金属器与金属，用镀铜、铝、青铜以及铬镍银等材料制造出色彩与质感上的对比。他为许多坐落于纽约的杰出建筑做出的贡献不可估量的。为克莱斯勒[Chrysler]与帝国大厦[Empire State Buildings]以及纽约无线电城音乐厅设计室内设计的金属装饰，使巴赫名声大噪。

来自匈牙利的威廉·亨特·迪德里希[Wihelm Hunt Diederich]是一位在多个专业领域上都相当成功的设计师，尤其是在金属装饰设计方面。他所创作的简约的二维人物与动物形象仿佛会破铁而出一样，其尖锐、参差不齐的边缘与细小的表面装饰令它们显得生机盎然。

朱尔斯·布伊从法国来到美国。作为布兰特铁艺公司的经理，他无疑强烈地受到了埃德加·布兰特作品的影响。他所设计的许多家具作品里的柱形装饰元素，又反映出他受到了摩天大楼的灵感启发。

灯饰

新艺术运动与装饰艺术运动时期的灯饰，区别可能并没有那么明确。首先，在20世纪20年代新艺术的灯饰带有清幽[spectral]而欢快的色彩:天青蓝、苔绿、紫红、淡紫等颜色的使用逐渐减少。其后取而代之的是消色差[achromatism]的设计风格，新颖的玻璃以及金属部件更看重其用途而不仅仅是色彩方面的因素。借助蚀刻、釉涂或喷沙等工艺装饰玻璃，设计师可以更随心所欲的制作灯具；通过压印与雕刻玻璃以获得雕塑般的效果；并且能够综合这些工艺，制作出许多微妙的效果。当时还生产出了乳白色和透明的灯具。

到20世纪20年代初，金属支架开始取代世纪之交对合金、带铜绿青铜的偏爱。金属，无论是镀镍铬、铝、钢或镀银铜，都十分有效的表达出机器时代的愿望。

与此同时，在有关现代室内设计中的照明应用方面出现极大的争论，许多观点集中于反对直接照明而支持间接照明，支持实用性而反对装饰性。尽管功能变得越来越重要，但20世纪20年代的灯饰仍然是一种艺术品[objet d'art]。设计师们拥有大量机会来展示他们的创

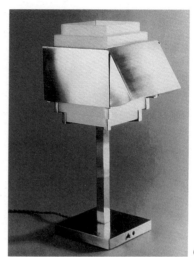

60. 让·佩泽尔：台灯，镀银与玻璃，20世纪20年代后期（弗吉尼亚美术博物馆收藏）。

60

意：1924年电企联盟[Syndicated Union of Electricity]在巴黎举办灯饰大赛[Grand Competition of Light]，还有在1925年巴黎万国博览会[Exposition Universelle]提供了另外一个杰出的展示平台。在20世纪30年代共有五个灯饰沙龙展览在巴黎举办，它们分别举办于1933年、1934年、1935年、1937年（其时作为当年国际博览会的一部分而举办）以及1939年。除以上所述，还有大批设计师与装饰艺术家以灯饰设计参与到年度沙龙展览当中。

让·佩泽尔[Jean Perzel]是20世纪20年代最具代表性的现代主义灯具设计师（图60）。这位专门的电灯制造商与设计师有两个主要目标：首先，确保光线能透过不同的漫射表面均匀发光，其次是要最大限度地利用光源的光线。为了确保第一点，佩泽尔发展出了一种特别的霜化喷砂玻璃安装在灯罩内壁，并在外部加上珐琅涂层[enamelled layer]以增强其装饰效果。通过这种方式，不但令光线能够均匀地透射出来，而且基本符合了他对朦胧及乳白色效果的要求。数年以后，他又在一些灯座

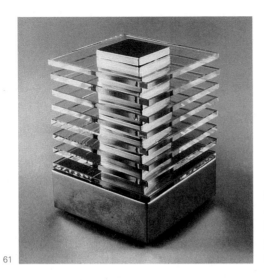

61. 迪斯尼之家：台灯，金属铬与玻璃，20世纪20年代后期（米勒斯·J. 洛里收藏）。**62**. 阿尔伯特·夏洛；吸顶灯，铜与雪花石，约1930年。

61

上运用浅色珐琅[lightly tinted enamels]以搭配灯饰的色彩设计主题。

达蒙[Damon]也是如此，为符合他对灯光的使用目的而十分看重在玻璃种类上的改进。他认为霜化玻璃的半透明度还不够完美（电灯泡组成的光点透过玻璃仍然能被清晰地看见）他创造了一种特别的散光玻璃[*verre émaille diffusant*]，镶嵌在金属框架内。他自己设计并制作灯具模型，而且同时为其他富有才华的设计师提供设计辅助，包括设计师博瑞斯·拉克鲁瓦[Boris LaCroix]、戈里弗[Gorinthe]以及丹尼尔·史提芬[Daniel Stéphan]。

埃德加·布兰特曾与几位玻璃工匠一起合作，但是效果最佳的是与多姆[Daum]的合作成果（图53）。早期多姆为布兰特制作的灯罩通常都会将表面处理成平整顺滑的质感，并时常利用旋转的色带来增强其装饰效果。到了20世纪20年代中期又由这种风格转向了厚玻璃[heavy glass]设计，用酸蚀的工艺在玻璃表面装饰独特的植物纹与几何纹母题，这是多姆最具特色的制作。这种装饰风格尤其适合于布兰特铁艺神秘的特点，两种材质搭配制作成的落地烛台灯[torchères]、吸顶灯与壁灯时髦而精美。布兰特同样擅长制作采用雪花石膏雕刻而成的灯罩。以他为榜样的其他熟铁设计者有杰斯、尼克斯公司、绍博、申克[Schenck]、苏珀，均制作玻璃与铁艺相结合的作品。

　　多姆公司自主创作过一些极为优秀的灯具设计，其设计形式十分简约。玻璃罩的形状如蘑菇、苦力帽[coolie hat]，或制作成一种细长的形状，安装在球形或圆形的底座上。蚀刻有有力线条的霜化白玻璃灯具样式尤其受欢迎。和多姆一样在玻璃制作方面同样重要的还有拉里克[Lalique]，其玻璃装饰设计以花卉及水果纹样为主。拉里克亦生产过一系列迷人的灯具[luminaires]，饰板与雕刻图案装饰的光源固定在铜

制的底座上，上面还装饰有孔雀、战马、燕子等。

阿尔伯特·西蒙[Albert Simonet]的西蒙公司[Simonet frères]是巴黎最悠久的铜器公司，它率先认识到电力时代需要新的照明美学，而不是简单地对使用煤气和蜡烛的灯具进行再设计。到1925年，该公司减少了其铜制灯具的生产并将注意力转向玻璃灯具的设计。雕塑家亨利·迪厄帕尔[Henri Dieupart]被委托设计符合现代观念的玻璃压花，这种灯具透过表面能够散发出十分悦人的光线。

这一时期在灯具设计方面同样出色的还有迪斯尼之家[Maison Desny]，其作品风格和派头与国际风格的建筑互呼应，这家公司生产地毯、金银器[orfèvrerie]以及照明小摆设，及大量超现代化的灯饰设计。用于日常室内照明的灯具被特别制作成去中心点的设计。镀铬壁架、枝形吊灯与落地灯上反向安装的用于反射光线的碗装灯罩，将裸露的灯泡隐藏起来并且向上投射光线。有些地方需要局部集中的灯光，不管是用于阅读或是照亮一件价值不菲的物品或绘画作品，该公司设计了一系列这种类型的聚光灯。一款台灯配有可调节的手柄，使得灯罩可以调整到任意想要的高度。迪斯尼亦设计过一系列照明小摆件，有些是用透明玻璃制作，有些则是以金属来制作，它们的功能仅是用以装饰昏暗的角落。

阿尔伯特·夏洛[Albert Cheuret]设计了大量时髦的装饰艺术运动风格灯具，这些灯具以雪花石膏薄片交叠的灯罩固定在鸟兽造型的铜制支架上。他的独特风格受到了自然风格与华丽而充满异域样式的古物的影响。

在美国，直到20世纪20年代后期，家居照明的新哲学才开始像在欧洲一样受到热情追捧。不管怎么样，直到1926年巴黎世博会的展览在美国的八个城市展出，美国的灯具设计开始显现出现代主义的影响时，整个室内装饰界对于现代主义的态度才开始发生改变。这次展览引导各大百货公司开始转向这种当代风格。其中有来自欧洲的参展者中包括一些灯饰设计师——布兰特、多姆公司、拉里克、夏洛、苏和梅尔，还有巴黎的百货公司乐·蓬·马歇以及青春作坊[Primavera]。

两年以后，美国设计师美术馆举办的当代艺术展览引领美国形成属于自己的现代主义风格。至此，美国现代主义运动一改过去依赖于欧洲引领的模式，最终讽刺地在移民设计师们的推动下得以独立发展。灯饰设计领域的先锋设计师包括唐纳德·德斯基、伊隆卡·卡拉斯、沃尔特·冯·内森、欧仁·舍恩、沃尔夫冈·帕拉·霍夫曼以及罗伯特·洛克。还有一些设计师参加了年度展览以外的展览，譬如沃尔特·肯塔克、科特·沃森[Kurt Versen]、约翰·萨尔泰里尼[John Salterini]、保罗·洛贝尔[Paul Lobel]、莫里斯·希顿[Maurice Heaton]以及从20世纪30年代初在美国当代设计中崛起的吉尔伯特·罗德。

沃尔特·冯·内森是美国首位现代主义灯饰设计师（图63）。1923年，他从德国移民到美国，在纽约建立内森工作室[Nessen Studio]，在那里他设计并制作了大量当代的灯具作品，主要为室内设计师与建筑设计师提供服务。20世纪30年代初，当大多数业务开始紧缩开支时，内森将业务从零售拓展到服务领域。他所设计的灯具主要因大胆的现代性而受到赞誉，从形式到闪耀的金属感的表面处理。其大胆的线性轮廓可与欧洲最先锋的设计师冯·内森的作品相媲美。棱角分明的霜化玻璃或皮纸灯罩安装在镀铬金属、铜或拉丝铝[brushed aluminum]的底座上。为了使机器时代的美学稍显柔和，装饰材料中加入了塑料饰板、胶木以及橡胶圆盘。不管是直接还是间接的照明需求其灯罩都需要可以倾斜、旋转或完全朝上。一种独特的功能性概念在冯·内森"灯房"[Lighthouse]的造型中得到了实现，它们由两个可以同时或单独发光的部分组成。

唐纳德·德斯基通过一些能够与冯·内森的巧思相媲美的灯具设

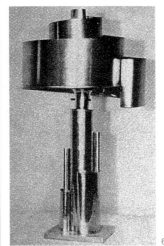

63   64

计展现出他的多才多艺（图64）。特别是他所设计的一些灯具底座，
造型极其抽象。其中一件由螺旋形构造的镀铬铜杆构成的设计，会把人
的视线引导到灯的上方。另外一件拉丝铝制成的灯具，由一系列交错平
行的方形交叠而成的带有国际主义建筑风格［International Style］的箱状
结构构成。此外还有锯齿状正面嵌入霜化玻璃板的设计，反映出其受到
让·佩泽尔作品的影响。

　　另一位照明设计方面的代表设计师是沃尔特·肯塔克，他在1928
至1932年期间，通过其公司月刊《万花筒》［*The Kaleidoscope*］记录他
现代主义风格的灯具设计，传播其当代家居照明设计理念。他的灯具设
计很好地体现了其设计理念：均具有利落的棱角，明亮并具有功能性。

63. 沃尔特·冯·内森：台灯，金属镀铬，约1928年。**64**. 唐纳德·德斯基：台灯，拉丝铝
与玻璃，1928年于纽约的美国设计师美术馆德斯基所设计的男式房间中展出（米勒斯·J.
洛里收藏）。

　　美国现代主义灯饰设计的先锋设计师科特·沃森[Kurt Versen]创作了大量抛光镀铬的台灯和落地灯的灯架。他的灯罩设计综合运用了乳白色玻璃、胶木、玻璃纸、塑料[Lumerith]以及他最喜爱的东洋纸。沃森最为著名的灯具设计包含带铰链的灯罩，可向上调节以提供直接或间接照明。其他开始制作现代灯具的金属工艺师与小工作室还有约翰·萨尔泰里尼与朗萨工作室[Lansha Studios]，他们所生产的由熟铁制作与霜化玻璃灯罩相结合的设计明显受到了诸如佩罗纳特、尼克斯公司以及绍博等巴黎熟铁工艺师的影响。另一位金属工艺师保罗·洛贝尔虽然也采用同样的方法，但他以铜与熟铁的设计制作的雕塑般的底座比灯具设计本身更具创造性。

第四章 | 银、漆与金属器

银

相较于其他艺术类型，银具设计师因其客户较为传统而显得相对保守。抛弃器物表面装饰的现代主义美学，对银具设计的影响最初并不明显。反而出现了一种传统的"现代型"[Modern Class]风格，这种风格将新与旧联结在一起：端庄、内敛、理性，相对保守。

基于本身在色泽方面的特征，银是一种"枯燥"的材料。20世纪20年代的银匠利用光影、反射的相互作用，通过平面与弯曲的相互对比，设计出了无需在表面加以装饰便能够赋予作品生机的办法。另一种方法则是通过搭配各类宝石以及名贵木材、象牙与玻璃，借此丰富银本身单调的色泽。进入20世纪30年代，镀金银[vermeil]或金片成为加在银具表面作为额外装饰的手段。克制的使用这些装饰方式，不破坏设计中的纯粹性与平衡时，这些材料可以增加银具的亲切感、气派以及质感的对比度。

让·皮弗尔卡[Jean Puiforçat]是装饰艺术运动的老牌银匠（图65—67）。从一开始，他便致力于尝试将外观设计与功能相结合。通过去掉过多的装饰，追求一种纯粹功能化的设计形式。他发现通过球体、圆锥体或圆柱体这三种基本形状可以很大程度的实现这一目的。他将优美与简约相结合，设计出大量银制茶具、餐具以及凹形器皿、桌上用品，还有礼仪器具。包括流线型调料瓶餐具、巧克力容器[chocolatiers]、酒杯与剑柄[sword guards]，并镶嵌青金石、象牙、黑檀与水晶作为装饰。或许很多时候都难以用"立体"[Cubist]一词来概

65

括皮弗尔卡的设计风格，他更倾向于将之称为"数学"［mathematical］
风格。

　　银具设计领域的后起之秀让·泰塔德［Jean Tétard］摒弃了简单的几
何造型，转而专注于由扁平的不规则条纹重复组合为更复杂的平面形
式。虽然这些设计需要更高超的技术，但同时也让他获得了更多的表现
自由。他在装饰方面唯一的妥协就是用名贵的木料雕刻出与银具本身如
出一体的漂亮手柄。泰塔德所设计蛇纹表面，通过凹凸平面的交替起
伏创造出一种迂回曲折的动态，非常夸张而优美。他及其泰塔德公司
［Tétard frères］制作了一大批银具，包括桌面用品、餐具、烟盒、花器
与镜子，均具有强烈的独特风格，成为泰塔德的标志。

65. 让·皮弗尔卡：银与象牙制茶具系列，20世纪20年代。

66

67

66. 让·皮弗尔卡：银制餐具系列，20世纪20年代。

67. 让·皮弗尔卡：银与黑黄檀制茶具套装，1937年（以上作品由维吉尼亚美术博物馆收藏，西德尼与弗朗西斯·路易斯捐赠）。

　　当时通过电镀技术加工的镀银器具与真银器具几乎难以区分。电镀技术在19世纪四五十年代与一位名为查尔斯·克里斯托弗[Charles Christofle]的人物密切相关，他当时购得了法国所有这方面的相关专利。1855年，拿破仑三世曾宴请维也纳驻巴黎公使的夫人波琳·德·梅特涅[Pauline de Metternich]。当这位公使夫人赞叹宴会上所使用的银餐具时，拿破仑说："尊敬的大使，这是现在人人都能够拥有的奢侈品。在我的餐桌上并没有一件餐具是纯银的。它们全都来自克里斯托弗。"克里斯托弗在伦敦、维也纳以及美国费城开设有面向海外市场的同名分支机构。

　　从19世纪、20世纪之交至20世纪20年代，该公司生产了大量具有装饰性并且十分实用的银具，包括以特殊黄铜工艺[dinanderie]制作的花瓶，该工艺在压印的空白处镶嵌其他带有肌理的金属。许多这类作品

68. 让·德普雷：茶具系列，金属镀银与柚木，约1925年（纽约普里马韦拉美术馆收藏）。

68

69

由吉奥·庞蒂[Gio Ponti]、莫里斯·杜拉[Maurice Daurat]、吕克·纳奈[Luc Lanel]、克里斯汀·弗杰汀格斯特[Christian Fjerdlingstad]以及其他有名的艺术家所设计。

一些珠宝商与首饰公司特别以银饰来提升他们的设计能力。让·德普雷[Jean Desprès]设计的银与锡碗、糖果盒[bonbonnières]、汤盘以及餐具,有一种简约而朴拙的现代主义感,带有厚重的打制表面以及显眼的螺丝与铆钉装饰。杰拉德·桑德斯[Gérard Sandoz]也设计过少量独特又硬朗的银具,饰以蜥蜴革、皮革与象牙,使其显得更为精美。在美国,设计师威廉·斯普拉特林[William Spratling]创作具有同样朴拙韵味的小件银具。

几家大型的珠宝首饰公司,卡地亚[Cartier]、梵克雅宝[Van Cleef & Arpels]、马尔扎克[Marchak]、麦兰瑞[Mellerio]、蒂凡尼[Tiffany & Co.],他们跨越珠宝与银饰之间的传统界限,设计出各种各样令人赞叹的作品。装饰艺术运动中精致的怀旧设计,以半宝石搭配金与银来

70

71

　　制作。卡地亚著名的神秘钟或许就是这两个方面珠联璧合的极致表现。

　　　　比利时、德国与丹麦的银具设计是独立于装饰艺术运动风格的典型。在布鲁塞尔，新艺术运动著名的宝石匠与银匠菲利普·沃尔弗斯[Philippe Wolfers]的儿子马塞尔·沃尔弗斯[Marcel Wolfers]设计了大量具有现代气息的、带有棱角分明的杯脚的茶具与碟子。早在他在父亲的工作室研习雕刻的时候，沃尔弗斯便掌握了相关的上釉及石头雕刻方法。他着迷于中国的装饰工艺，并在其作品中广泛采用。此时德国的银具与金属器领域，部分意义最为深远且令人振奋的设计作品是由包豪斯的设计师所创作。在哥本哈根，乔治·詹森[Georg Jensen]是20世纪主要的银具设计师之一，尽管事实上他并非一位伟大的创新者。他主要

69. 杰拉德·桑德斯：茶与咖啡罐，银与木，20世纪20年代。
70. 设计者应为埃里克·曼格鲁森：为戈勒姆公司设计的盖杯，银与紫水晶，约1928年。
71. 蒂凡尼公司：咖啡银具系列，1939年于世博会珠宝厅展出（照片由蒂凡尼公司拍摄）。

72

73

72. 吉恩·西奥博尔德为国际银具公司所作的设计：茶具系列，镀银锡与胶木（小米切尔·沃尔夫森收藏，迈亚密达德学院）。**73**. 诺曼·贝尔·盖迪斯："摩天大楼"鸡尾酒具与"曼哈顿"托盘，由雷维尔铜业公司制造，镀铬金属（布鲁克林博物馆收藏，保罗·F·沃尔特捐赠）。
74. 查斯铜业公司：精选"特制"线形器皿，金属铬与胶木，20世纪30年代。

的成就在于改变了银具的制作成本以适应新的中产阶级的需求，使得手工现代银具成功向商业化转型。在画家约翰·罗德[Johan Rohde]加盟后，詹森将一种较为克制的现代主义特征引入到斯堪的纳维亚银具设计当中——这是由威廉莫里斯引介的一种20世纪斯堪的纳维亚风格的理想形式。哈拉尔德·尼尔森[Harald Nielsen]在1909年的加入，又带来了源自包豪斯功能主义的风格。至20世纪30年代，瑞典国王[King of

74

Sweden]的儿子西格瓦尔德·贝纳多特[Sigvard Bernadotte]成为公司
中影响最大的设计师，设计饰有锯齿状平行线的轮廓分明的作品。

　　在美国的装饰艺术中，相比于其他领域而言，银具设计受欧洲
（尤其是法国）的现代主义影响不是很大。对于美国人来说，银具仍然
是代代相传之物，它具有一定的礼仪与财产传承的意义。

　　美国最大且最为有名的纯银具制造商蒂凡尼公司，也只制作过很
少量的当代风格作品，并且是到20世纪30年代中期，该公司反对现代
主义的设计总监路易斯·康福特·蒂凡尼[Louis Comfort Tiffany]逝世
以后情况才有所改变。

　　戈勒姆[Gorham]是美国另一家十分重要的银具制造商，也未能摒
弃传统的银具设计风格。爱德华·马尤[Edward Mayo]在1923年被聘任
为该公司主管，他试图通过聘用来自丹麦的银匠埃里克·曼格鲁森[Erik
Magnussen]，为公司引入新的设计灵感，1925至1929年间，曼格鲁森

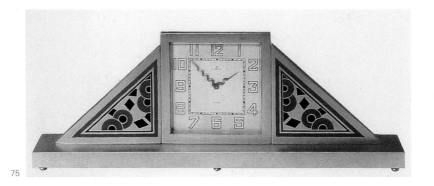

75

在戈勒姆从事设计工作。他的银具设计灵感来源广泛：乔治·詹森那种
具有新艺术风格的线条，以及结构主义，立体主义，以及摩天大楼的影
响。他在1927年受立体主义启发设计的咖啡具组合，命名为"曼哈顿的
光与影"[The Lights and Shadows of Manhattan]，通过对比强烈的三角
形的银、镀金及抛光褐色肌理装饰，共同构成了与纽约最高新建筑轮廓
遥相呼应的高度原创性造型。直至今天，仍然没有其他哪一款20世纪20
年代制作的美国银具设计可以如此准确地反映出20世纪20年代后期微妙
的气氛。在曼格鲁森为戈勒姆所设计的其他大胆的创作中，还有类似的
另一套被命名为"曼哈顿"[Manhattan]的银盘设计。这些设计引发了
大量的跟风之作，其中最为著名的两例是由伯纳德公司[Bernard Rice's
Sons, Inc.]为亚波罗[Apollo]制作的镀镍"摩天大楼"[Skyscraper]茶具
系列，以及米德尔顿银业公司[Middletown Silver Company]与威尔克斯
银具公司[Wilcox Silver Plate Company]灵感来源于摩天大楼的茶具套装
设计。工业设计师诺曼·贝尔·盖迪斯[Norman Bel Geddes]也设计过
一套"摩天大楼"风格的鸡尾酒具以及一款"曼哈顿"风格的托盘，但

75. 欧米茄：搪瓷与金属铬时钟，20世纪20年代。

这些制作都较为克制，带有近似于斯堪的纳维亚线性风格的特征。事实上，斯堪的纳维亚设计相较于法国设计在美国更为成功。

康涅狄格州的国际银业公司[The International Silver Company in Connecticut]延续着吉尔伯特·罗德、埃利尔·沙里宁与吉恩·西奥博尔德[Gene Theobald]等室外装饰设计师的风格，创作了大量反映装饰艺术设计趋势的凹形和扁平的银质器皿，银盘和锡镴制品[pewter]。其中一位最值得注意的银具设计师是20世纪30年代至40年代独立工作于美国的德裔设计师彼得·穆勒-蒙克[Peter Müller-Munk]。他的设计现代却不会过于极端，表现出欧洲的繁复的工艺，吸引了许多私人客户。但随着1929年的金融大崩溃，银具市场迅速消退，同时给各种仿制金属、镀银、镀铬及镀镍制品打开了发展空间。

在批量化生产的镀铬及镀镍配饰方面，最为成功的制造商是在康涅狄格州沃特伯里的查斯铜业公司[Chase Brass & Copper Co.]，该公司聘请了诸如沃尔特·冯·内森、吉尔伯特·罗德、拉塞尔·赖特[Russel Wright]与罗克韦尔·肯特[Rockwell Kent]等著名设计师，创作适合于大众市场的、富有现代主义风格的鸡尾酒具与烟盒。

对电力的引入开启了一场在时钟设计领域的革命。时钟如今已被缩小到可以与其他的物品共同摆设在桌子上，那些高挂在墙上的时钟已不用再通过上发条来提供动力。当时许多法国装饰艺术运动设计师放弃了圆形的时钟造型转向采用方直的造型设计。某些设计更是对传统的时钟指针进行了局部的改进，甚至将其取消，代之以活动金属盘上的小球或旋转数字表盘上的定点。它们的数字设计也是一大亮点。罗马数字与阿拉伯数字已不再流行，而是被纵向和横向的矩形、圆形与弧形的综合设计所取代。

76

77

漆与金属器

19世纪后期，法国艺术家对日本艺术产生了浓厚的兴趣，这极大地促进了漆艺在法国的复兴。让·杜南德成为当时最为重要的漆艺家，漆艺也深刻地改变了其职业生涯。他受到一位著名日本漆工的影响而接触了漆艺，并以纯熟的手艺迅速成为巴黎首屈一指的艺术家。他发展了日本漆工一直规避的暗黄、暗绿以及珊红漆色，设计出价廉物美的漆艺作品。为了获得白色这种漆树本身无法提供的颜色，他发展出了极为耗工费时的蛋壳镶嵌工艺，将一片片敲碎的蛋壳镶嵌在漆器的最表面。

杜南德将漆艺应用到他的金属花瓶设计上，运用漆髹饰的醒目的几何图案制作出一系列生机勃勃的、新颖的装饰艺术运动风格的纹样。他后来更将漆艺扩展运用到各种屏风及饰板上，并与鲁赫尔曼、勒鲁、

78

普林茨等家具设计师合作，为他们的家具设计制作各种饰板与柜门。

　　新艺术运动后期，杜南德设计的花瓶受到葫芦造型与其他植物形式的启发，但后期当他的设计风格趋于抽象以后，他的花瓶设计也逐渐变得简约。除了他自己的设计之外，杜南德也委托雕塑家与画家让·兰伯特-鲁奇运用奇幻的现代风格创作各种梦幻珍奇的动物形象，再由杜南德将之装饰在他的金属器与漆屏风上。杜南德设计的一些银质或其他金属制较小件的私人配饰与珠宝首饰，其色彩、样式与题材的选择上都显现出一种融合了强烈非洲灵感的东方情调。

　　杜南德的合伙人之一，让·高尔登是一位杰出的内填珐琅

76、77. 让·杜南德：髹饰金属花瓶，黑漆与嵌蛋壳，20世纪20年代（史提芬·格林伯格收藏）。
78. 莫里斯·杜拉：餐桌中央摆设［centrepiece］，锡镴制作，20世纪20年代。

[Champlevé Enamelling]工艺家。他制作的精美器具造型简约，立体派的体量加之用强烈对比的珐琅绘制的平面制造出抽象或具象的效果。他偏爱采用镀金铜、镀金青铜、镀银铜以及纯银的材质。拜占庭艺术对他影响至深，正如拜占庭艺术对克劳迪斯·利努希尔[Claudius Linossier]的影响一样，让·高尔登的作品与伊斯坦布尔圣索菲亚大教堂[Hagia Sophia]或威尼斯圣马可大教堂[St Mark]的装饰有着某种共通之处。他的作品外部装饰被认为能够"看见火光闪闪，伴随着金属的融化大放异彩"。他也研究合金制作，并且通过掌握这些技术获得各种不同的银色，以令其作品显得低调而浑厚。但利努希尔所设计作品中的杰出之处是他对金属沉淀技术[metal incrustation]的运用。他拒绝使用酸，认为它们产生不了持久的色彩。相反地，他利用火焰制作出玫红、银白、灰、粉、黄、紫、黑等柔和的色调。完成后的作品显现出自然的金属质感，并显露出手工制作的微妙痕迹。

莫里斯·杜拉喜欢采用锡镴设计作品，这种金属质地柔软，可延展并且极易弯曲。杜拉用这种金属实验出了类似皮革般的表面质感，色调深沉，而且经由捶打而成的斑纹能够折射出不规则的反光。所有这些都使得杜拉制作的成品相较于银器所具有的冷光更具温情、更吸引人。当这类设计逐渐减少后，他又转向对形式与简约设计方面的探索。他只在作品底部留有一串圆形珠状装饰或在别致的手柄上留有少量装饰。杜拉有意让其作品具备观赏属性而不仅仅是为了实用，而实际上他的作品的确常常由于重量的问题而影响其实用性，但看起来又没有那么的不实用。相对于精美的纯银器及瓷器的价格，杜拉的设计是可以接受的奢侈品。在他手上，锡镴作为一种新兴材料，可以毫无愧色的比肩最精美的银具。

第五章 | 玻璃

1900至1925年期间，各种新风格和新技术被运用在玻璃设计上。与此同时，玻璃作为艺术表达的媒介与作为家居用品的界限越来越明显。随着20世纪20年代现代主义的到来，玻璃被进一步应用在家具以及建筑上。玻璃成为新设计美学的基础元素，传统的材料以及装饰模式被摒弃，功能主义取而代之成为关注点。

装饰艺术运动风格的法国玻璃

在莫里斯·马里诺[Maurice Marinot]和雷奈·拉里克的领导下，装饰艺术运动时期的法国设计师设计出了各种形式和风格的玻璃，马里诺和拉里克成功地与埃米尔·盖勒[Emile Gallé]一起成为法国玻璃艺术的领军人物[maî tre verriers]。

现在普遍认为马里诺的作品是"一战"玻璃设计风格的主要根源之一。马里诺于1901到1905年在巴黎国立美术学院[Ecole des Beaux-Arts]接受艺术训练。他早期的绘画风格与野兽派艺术家非常相似，如马蒂斯、德兰[Derain]、凡·东根[Van Dongen]等人的作品，他们的油画与马里诺的作品一起在秋季沙龙展出。直到1913年，马里诺的兴趣开始完全转向玻璃之前，他的作品一直在秋季沙龙和每年的独立沙龙展出。早在两年前，他拜访了朋友欧仁和加布里埃尔·维尔德[Gabriel Viard]在塞纳河畔巴尔的工作室，这促使他改变了职业。他早期的实验包括花瓶和瓶子的设计，由他指导，维尔德兄弟执行制作。他把玻璃的表面当作油画布，大胆地使用天蓝、红、黄、肉色珐琅表现花朵、面

79

具、人体。当他的一些早期作品在朋友安德烈·梅尔策划的1912年秋季沙龙"立体之家"[Cubist House]展出时，很快就受到欢迎。1913年，巴黎一位著名的画商和"青铜器翻砂匠"[bronze founder]安德烈·赫巴德[Adrien Hebrard]成为马里诺的独家代理商，他在自己的皇家大道画廊[rue Royal gallery]展出马里诺的玻璃作品。

马里诺很快就掌握了玻璃制作的技术，并开始制作他自己的设计。实际上，从1914到1919年，他不断地实验，尝试用半透明的珐琅[translucent emamels]代替各种不透明的材质。这成了他从继续用珐琅人物装饰玻璃外部到利用各种方法装饰玻璃内部的过渡时期。1923年，为了探索玻璃的冷热加工技术，他放弃了各种玻璃外部的装饰，包括珐琅，这使得他可就玻璃块本身而进行创作。他成熟时期的玻璃作品极具雕塑感，高度保留着他早期野兽派风格的特点。在干净的玻璃花瓶

80

81

上进行强酸腐蚀的技术起源于1934年，现在美国纽约州的康宁玻璃艺术博物馆[Corning Museum of Glass]可以找到此类作品。

　　在20世纪20至30年代期间，马里诺的作品大致分为四个类型：一为器皿，他在尝试制作珐琅之后，开始设计器皿。这些玻璃器皿的边壁比较厚重，采用蚀刻工艺或者内部装饰。后者包括气泡、烟熏色、柔和色调的条纹，或将繁星点点以及漩涡形状的颜色夹在内层和外层的透明玻璃之间，形成"三明治"状的效果。第二种类型包括蚀刻玻璃作品，其上装饰着用酸蚀工艺蚀刻出的强有力的、粗犷的抽象几何母题，被酸腐蚀过的区域与抛光的平滑凸起的表面形成强烈的对比，将光的折射效果最大化。第三种类型是熔炉烧制的玻璃器皿，通过大量熔化的玻璃液

79. 莫里斯·马里诺：三个带有瓶塞的瓶子，约1925年。

80. 莫里斯·马里诺：珐琅瓶子和瓶塞，1920。**81**. 亨利·纳瓦拉：花瓶、浅蔚蓝、棕色玻璃，约1927年。

82

来制作造型，强调器皿的外形。马里诺也用这种技术来制作面具。第四
种类型是马里诺的瓶子，这些瓶子通过模具制作，或通过窑烧制成型，
结合了艺术家极具特色的球形或半球形瓶塞与内部装饰。

马里诺制作了大量的作品，广泛流行，深受好评。在1925年的
博览会上，他在不同的展馆里展出了作品《出类拔萃》[hors cours]，
如法国使馆、当代艺术博物馆以及亚历山大三世桥上的埃布拉尔商店
[Hébrard shop]。他的玻璃作品在世界范围内广受赞誉，他的法国同
僚及法国之外的玻璃艺术家均受到他的影响。

在马里诺的众多追随者中，亨利·纳维拉[Henri Navarre]也许是
最著名的。纳维拉早期是一位雕塑家、金匠、彩色玻璃艺术家，于20世
纪20年代中期开始尝试制作玻璃。他大部分的玻璃作品均用熔炉烧制，
厚边壁，内部则以旋涡纹或旋转的色彩、颗粒以及夹层材质进行装饰。
这种效果可以通过将金属粉氧化物按照所需图形撒到滚料板上，滚料板
上黏着透明玻璃料泡滚动成型。第二层透明玻璃则包裹住这些装饰。纳
维拉的色调比马里诺更暗，他的玻璃作品表面具有压印或包裹器身的强

82. 多姆：蚀刻玻璃花瓶精选，20世纪20—30年代。
83. 亚里斯泰迪·克洛特：玻璃花瓶，雕刻和凿刻装饰，20世纪20年代晚期（米勒斯·J·路易收藏）。84. 多姆和阿米瑞克·沃尔特：脱蜡铸造法制作的盖碗，20世纪20年代晚期。

烈装饰。其中最重要的一件委托是为1927年为法兰西岛远洋渡船上的教堂制作大型玻璃耶稣像以及祭坛背后屏风的马大和玛丽的镀金浅浮雕作品。

和纳维拉一样，安德烈·蒂雷［André Thuret］于20世纪20年代开始制作玻璃实验制品，他原是巴涅玻璃厂［Bagneux Glassworks］的一位玻璃技师。他的玻璃边壁与马里诺的玻璃边壁一样厚，在透明玻璃内

85

86

壁加强了气泡装饰。然而他的风格在颜色和形状上更大胆冒险，半熔玻璃被捏成扭曲的或波浪的形状，或在滚料板上滚上金属氧化物制作出各种颜色的螺旋纹或图案。

乔治斯·马塞尔·杜摩兰[Georges Marcel Dumoulin]成为玻璃师以前，在绘画以及陶瓷创作方面获奖无数。他利用玻璃的内部颜色和气泡效果制作了一系列收腰形的器皿，使人联想起马里诺的作品，蛇形旋涡的彩饰绕着玻璃的外表螺旋上升。让·萨拉[Jean Sala]是杜米尼克·萨拉[Dominique Sala]的儿子与徒弟，也同样采用气泡夹层来装饰他的《马尔分》[Malfin]系列。

南希的多姆公司在保罗·多姆的指导下于1919年重新开张，因镇里的其他玻璃工作室衰落，他的工厂很快就为人所知。多姆生产了一系列厚边壁、大型的半透明和不透明的彩色玻璃花瓶。在他众多著名的作

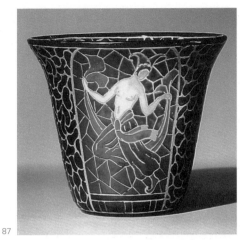

87

88

品中，最著名的是一系列用强蚀刻制作的大胆几何图案装饰的碗、花瓶、灯罩，其中有一些被吹制进青铜或熟铁的框架内。这些作品的背景大多被用来与抛光的部分形成对比，这是一种借鉴于马里诺的技术。1930年之后，多姆的玻璃的边壁开始变得越来越薄，蚀刻也变得越来越浅。玻璃厂也使用水晶或单色的风格化动物图案、重复的植物图案、旭日东升图案、旋涡纹等蚀刻技术制作浮雕花瓶和灯具，与粗糙的蚀刻背景形成对比。

　　阿里斯蒂·柯莱特［Arstide Colotte］于20世纪20年代加入对手公司克里斯塔乐瑞·德·南希［Cristallerie de Nancy］，成为一名模具师。他早期的制作包括汽车车头上的标志和小雕像，但他的实验很快开始转到带有蚀刻细节的珐琅和着色玻璃器皿上。1928年，柯莱特的风格变得

85. 让·卢斯：花瓶，蚀刻玻璃，20世纪20年代（L·马克·尼尔森收藏）。**86**. 施耐德：橙色斑点紫水晶花瓶，无色玻璃包裹，约1925年。
87. 马塞尔·古皮：珐琅玻璃花瓶。**88**. 奥古斯特·海利根斯坦：花瓶，棕色瓶体，镀金与珐琅装饰，20世纪20年代晚期。

89

非常现代，他所选择的雕刻形式和技术更适合搭配木头或金属。他最喜欢的装饰主题包括各种鸟兽，例如公羊、猫头鹰以及燕子涉及大量的宗教主题，他把表现力极强的几何图案诸如闪电、螺旋饰带深深地刻到自由形态的水晶块面上。

1913年，恩斯特[Ernest]和查尔斯·施耐德[Charles Schneider]在塞纳河畔埃皮奈成立玻璃工作室。他们制作大型的、色彩斑斓的灯具和花瓶，并在其内部以气泡、斑驳的肌理和大理石色的效果进行装饰。有些作品装饰以颜色大胆的玻璃塑造成的风格化的花朵，有些则雕刻几何螺纹，风格化的植物纹以及肖像徽章。还有一些则利用在带有透明的气泡的背景上描绘彩色金鱼模仿水族馆的效果等技术去模仿大自然的真实场景。不透明的黑色和橙色是公司最具特色的装饰艺术风格色彩。施耐德的玻璃器皿常以法兰西产玻璃[Charder and Le Verre Français]的名

90

91

义销售，有时没有签名，取而代之的是千花藤刻纹[millefiore cane]。

马塞尔·古皮[Marcel Goupy]模仿马里诺早期的珐琅风格，设计了一系列无色的或透明的玻璃器皿，并用明亮的珐琅装饰玻璃内外。他的装饰题材广泛，从风格化的鸟兽、花朵、动物到风景，到神话人物与女人体，风格上使人联想到苏和梅尔。他还利用烟熏色或彩色玻璃制作各种层次丰富的新效果。尽管不是那么有名，但德拉瓦[Delvaux]和安德烈·德拉特[André Delatte]制作的商业珐琅玻璃器具与古皮具有同等水平和风格，后者主要生活工作于法国东北部城市南锡[Nancy]。

奥古斯特–克劳德·海利根施腾[Auguste-Claude Heiligenstein]在古皮的指导下熟练掌握珐琅技艺，他为古皮工作了四年。他所设计的玻璃器皿上精致的细节以及绚烂的颜色反映了20世纪20年代通过装饰艺术风格复兴新古典主义的时代主题。花丛中身着褶皱裙的女性形象是当时最受欢迎的母题，这类母题常结合珐琅、雕刻以及蚀刻技术进行表现。

让·卢斯[Jean Luce]也在他早期的玻璃器皿上使用风格化的珐琅

89. （上）克吕尼，灰玻璃花瓶，青铜支架；（从左至右）雷奈·拉里克：花瓶，橙色，黑色珐琅，磨砂玻璃；拉格马，黑色珐琅和磨砂玻璃花瓶；贝利斯，黑色珐琅玻璃花瓶，20世纪20—30年代（佳士得提供图片，纽约）。

90. 雷奈·拉里克：盒子，黑色玻璃和镀银青铜，约1920年。

91. 雷奈·拉里克：《胜利女神》车头标志，磨砂、抛光玻璃，约1928年。

植物装饰，但不久后他舍弃珐琅转而开始热衷于通过雕刻或喷砂技术产生的哑光与抛光的强烈对比，制作抽象的几何图案（图85）。这一时期的其他玻璃器皿的边壁设计得较厚，表面被处理成镜面或镀金的效果，并以雕刻或喷沙成的几何图案作为装饰。

雷奈·拉里克[René Lalique]早期是一位平面设计师，后来成为新艺术风格的珠宝设计师。他在探索低成本的新珠宝材料时，发现了玻璃。他用失蜡法在搪瓷[vitreous enamel]与铸造玻璃[glass cast]方面进行尝试。1893年到1897年间，拉里克用第二种方法首次制作了全玻璃器物，水滴形的小玻璃瓶和瓶塞。在他第一次获得成功之后，又制作了一些限量版的玻璃制品，这些玻璃制品与他的珠宝作品一起陈列展示于旺多姆广场的新工作室。

1906年，拉里克的玻璃器皿第一次受到了科蒂集团旗下香水品牌的关注，他开始受委托为其香水生产线设计各种香水瓶[flaçons]和标签。拉里克最初为科蒂集团设计的香水瓶是在格莱斯公司用水晶制作的，大部分作品均没有签名，但到了1908年，拉里克接管了梳子城[Combs-la-Ville]的玻璃器皿生产，开始制作自己的产品。1909年他购买了更多的生产场地，这有助于他做到系列化生产。第一次世界大战爆发时，拉里克几乎停止了所有的珠宝生产，1918年，他把重点放在玻璃生产上。随后他在莫代河畔的温根购买了更大型的工厂，他的玻璃生产得到进一步加强与扩大。

拉里克的器皿设计，所涉及的高浮雕和精致的装饰细节，主要通过三种方法制作：人工吹制玻璃到模具中，机械化的机吹玻璃[aspirée soufflé]和机压玻璃[pressé soufflé]，铸模压制。人造水晶[demi-cristal]是常用的基础材料，50%含铅量的玻璃通过加入金属氧化物、硫化物、氯化物变为透明或者是彩色，产生出一种精致的、宝石般的颜色，从祖母绿的绿到红宝石的红。把不透明的白色玻璃夹在两片有色玻

92. 雷奈·拉里克："昼夜"，透明蓝色玻璃钟，约1932年。

92

璃中间将产生乳白色的效果。产生其他装饰效果的工艺有彩绘、着色珐琅着色、用酸霜化、仿古、做旧，把玻璃置于金属氧化物的粉末中，使用高速缓冲器或红铁粉[rouge]抛光等。

拉里克的装饰主题各种各样，包括写实化与风格化的动物、花朵、人物与神秘样式以及抽象几何图案。浅浮雕的图案效果通过使用彩色珐琅来加强。他销售各种各样的产品：花瓶、餐具、洗漱用具、香水瓶子、香炉、珠宝、钟盒、雕塑、镜子、办公文具、灯、家具、建筑设备、人工喷泉等等，甚至一些像汽车车头标志这样的新奇物品。

20世纪20年代，拉里克获得了巨大的成功，1925年巴黎博览会上获到广泛好评，并还拥有自己的展览馆。他还为塞夫尔设计玻璃餐厅，为工艺学校设计大型喷泉。此外，他设计的香水瓶主导了香水单元壮观的香水喷泉，而此次展览中拉里克制作的其他作品则包含在各个室内装饰的展厅中。重要的委托随之而来，包括横跨大西洋的豪华游轮上的玻璃设计，如巴黎号（1920年）、法国岛号（1927年），还有诺曼底号（约1935年），他为这些游轮设计饰板、灯具设备、吊灯以及其他配件。也为法国铁路系统的豪华卧铺车[sleeper car]、餐厅、影院、旅馆及教堂提供类似的玻璃设计，此外还为香榭丽舍大道的圆形广场[Rond-point]设计了一系列公共玻璃喷泉。

拉里克的成功迅速地激励着其他设计师制作类似的玻璃器皿，如莫里斯–恩斯特·萨比诺[Marius-Ernest Sabino]，他的作品在1925年的巴黎博览会展出，接着在秋季沙龙、装饰艺术家协会沙龙展出。萨比诺蓝色调乳白色玻璃花瓶以及其他装饰配件，虽然不像拉里克构思和制作得那么精致，但更色彩斑斓。他的作品包含建筑配件、吊灯架、落地灯和台灯、烛台、桌子、花瓶、墙面贴花[appliques]、喷泉以及人物雕像和动物雕塑。那些精心制作的青铜、黄铜以及熟铁灯架或装饰品均出自他的工作室。萨比诺的名气主要来自他别出心裁的灯具设计，正如那些为诺曼底远洋轮船所做的设计。

艾德蒙·埃特林公司[Edmond Etling et Cie]生产了一系列受到拉里克启发的类似作品，包括女人体雕像、浅蓝色调的乳白玻璃制作的动物雕像或小船。这家公司也生产小型的镀铬和水晶灯，如在1934年第二届灯饰沙龙和1937年国际博览会展出的作品。埃特林公司的设计师包括杜纳米[Dunaime]、乔治斯·比尔[Georges Beal]、让-西奥多·德拉贝斯[Jean-Théodore Delabasse]、吉纳维芙·格兰杰[Geneviève Granger]、露西尔·塞文[Lucille Sevin]、格扎·热尔[Geza Thiez]、博纳特[Bonnet]、拉普朗什[Laplanche]和吉亚尔[Guillard]。正如埃特林公司一样，在安德里斯，离鲁昂约40公里的霍洛芬公司[Holophane]也生产乳白色的玻璃小摆设、花瓶，并命名为"爱丽丝"[Verlys]进行售卖。

　　吉恩与迈克公司[Genet & Michon]生产的灯具组件，照明设计以及定制的照明面板均受到了拉里克的影响。其产品通过在表面加入了氢氟酸的方法以达到轻微半透明的效果。这些半透明的玻璃散发出引人注目的折射和弥漫的灯光效果，这使得公司很快就接到建筑照明设计的委托，如达克斯的富丽酒店[Hotel Splendid]。吉恩与迈克公司也生产非常特别的小型灯具，比如在压制玻璃表面上雕刻了世界地图的球形灯，还有球形底座的台灯、压制玻璃制成的圆柱形灯罩。

　　阿尔伯特·西蒙是西蒙公司青铜加工部门的负责人，深深被拉里克所取得的成功所激励，将青铜归降级为次要材料，用于作为玻璃的支撑物，并把压制玻璃面板应用在灯具上。他最具代表性的作品是装饰有植物图案的浮雕乳白色瓮形玻璃高灯架，灯罩被安装在带有新古典主义饰带的青铜独脚圆桌形基座上，饰带上是雕刻着各种山羊蹄的森林之神萨提尔[satyr]面具。这也是西蒙和亨利·迪欧帕特[Henri Dieupart]在1925年巴黎博览会展出的其中一件作品。该公司灯具设计的最大特色是圆球造型，压印玻璃镶嵌在金属支架中。玻璃自身用各种自然和抽象的主题进行装饰。

　　保罗·德·埃文森[Paul d'Avesn]是费朗斯瓦-埃米尔·德科切蒙[François-Emile Décorchemont]的学生，1915年至1926年间为拉里克工作，随后他成立圣·雷米玻璃公司[Cristalleries de Saint-Remy]，生产各种表面处理效果的模制玻璃器皿。他最为著名的作品是一件装饰有饰带的缩口球形花瓶，饰带上公狮与母狮绕着球形花瓶交替出现。安德烈·亨利贝拉[André Hunebelle]也生产模制玻璃，和拉里克类似。但他的作品比德·埃文森的作品显得更几何化与风格化。亨利贝拉与萨比诺兴趣一样，喜欢使用浅蓝色调的乳白色玻璃。

93

脱蜡铸造法

尽管"脱蜡铸造法"[Pâte-de-Verre]在法国的复兴始于19世纪末期，但直到20世纪20至30年代，它的复兴才达到顶峰。脱蜡铸造法是将玻璃碎片磨成的粉与助熔剂[fluxing medium]混合，从而促进熔化的一种方法。而色彩则是通过在彩色玻璃或在已经熔化成糊状的毛玻璃中加入金属氧化物而获得。脱蜡铸造法先用火加热使融化的玻璃料具有与黏土一样的延展性，再把融化的玻璃料倒入模具里，最后加热脱模，定型。脱蜡铸造法铸造的玻璃器具可被模制成不同的层次或加热之后对其进行雕刻使效果更加精致。弗朗索瓦-埃米尔·德科西蒙最熟悉脱蜡铸造法。德科西蒙原是一位陶艺师，他在1902年看到了世纪之交的先锋

93. 阿吉·卢梭和阿米瑞克·沃尔特：脱蜡铸造法制作的器皿精品，20世纪20年代晚期。

94. 阿吉-卢梭：脱蜡铸造法制作的花瓶，20世纪20—30年代。

94

艺术家阿尔伯特·路易斯·丹茂斯运用珐琅铸造法[*pâte-d'émail*]创作的作品，受到启发，从而开始其材料实验。德科西蒙初期设计的器皿还是以典型的新艺术风格为主，采用植物或符号化的主题。渐渐地他的风格和技术发生了变化。1909年前后，他开始用熔模铸造法进行浇注，制作薄边壁的器皿，其表面雕刻有一些装饰细节。一年之后，他放弃了早期的薄边壁与轻柔的装饰，转而利用水晶玻璃粉铸造法[*Pâte-de-cristal*]。这时期他的作品以厚边壁、色彩绚丽的器皿为主。

　　20世纪20年代，德科西蒙的风格越来越大胆，20年代早期到中期，他的风格倾向于制作奇形怪状的面具，并逐渐发展为以高度的几何形为主的成熟风格。他后期的作品矜持、优雅，经常以坚硬、立体、形式化、并带有浅浮雕几何装饰。德科西蒙发展出了一套宝石般的色谱，使用各种金属氧化物所产生的效果可媲美拉里克作品的光彩与奢华。翠绿色、蓝绿色、宝蓝色加上黑色和紫色的条纹，模仿半宝石的效果。20世纪30年代，德科西蒙不断地制作窗户饰板，从1935年到1939年，他几乎都在专门为巴黎圣奥迪教堂设计窗户。德科西蒙用脱蜡铸造法制造出丰富而温馨的效果，以替代传统的彩色玻璃与铅条玻璃。

约瑟夫-加布里埃尔·卢梭[Joseph-Gabriel Rousseau]雇佣了几十位工人和装饰设计师在他的阿基-卢梭琉璃公司[Les Pâtes-de-verre d'Argy Rousseau]为他实现他的设计。卢梭生产各种各样的器皿，包括花瓶、碗、灯、罐和彩色的、用脱蜡铸造法制作的不透明、轻盈而高雅的饰板。这些器皿采用风格化的花朵和动物图案以及几何形作为装饰主题。他著名的作品是由水晶玻璃粉铸造法制作，饰有新古典主义浮雕，而其他的作品则是几何形纹样的。从1929年开始，公众对于脱蜡铸造法逐渐失去兴趣，使得此类作品的产量下降，加之经济大萧条的开始，阿基-卢梭琉璃公司最终解散。阿基-卢梭转向生产小型产品，开始受到委托制作宝石色辅以黑色和深紫红色条纹的饰板[plaques]和棱角分明的器皿。这些几何形的器皿极具现代感，令人耳目一新。

阿玛瑞奇·沃尔特[Alméric Walter]原是一位陶艺师，在塞夫尔国立工业学院[L'Ecole Nationale de la Manufacture Sèvres]接受训练。他在学生时代接触到脱蜡铸造法，并在他的老师加布里埃尔·利维的指导下进行各种材料的实验（图84、图93）。1908年，他搬到南锡，并在多姆工厂找到了一份玻璃制作师的工作，用脱蜡铸造法制作一系列的花瓶、烟灰缸、碗以及小雕像。他的风格受到工厂里其他设计师的影响，如亨利·博杰，以及其他当地著名的设计师，如维克多·普鲁夫[Victor Prouve]和让·伯纳德·迪斯康普斯[Jean Bernard Descomps]。沃尔特大部分的作品具有很强烈的雕塑效果，采用自然主义的青蛙、蜥蜴、金鱼以及甲壳虫等形象进行装饰。他还利用脱蜡铸造法设计奖章，既可用作吊坠，也可用作家具和灯具的装饰。他著名的作品还包括用

95

脱蜡铸造法制作的壁突式烛台以及饰板，经常用夸张的绿色和红色呈现。所有制作于1914年前的作品均以洛林十字架的方式标记多姆·南希[DAUM NANCY]字样。1919年之后，他的签名则改为A. 沃尔特·南希

95. 埃德温·奥尔斯姆为奥勒福什创作的"斗牛士"玻璃花瓶，亚雷尔[ariel]技术，约1937年。

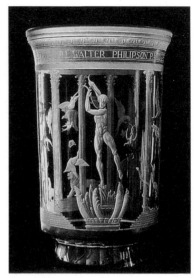

96

97

[*A.WALTER NANCY*]，还经常加上设计师的签名。多姆工厂中其他用脱蜡铸造法模型制作的玻璃师还包括朱尔斯·凯特[Jules Cayette]、安德烈·郝龙[André Houillon]以及约瑟夫·摩根[Joseph Mougin]。

其他欧洲国家

　　欧洲其他国家的玻璃器皿风格及技术均来自20世纪10年代的法国，但有一个例外，即斯堪的纳维亚。尤其是瑞典的奥勒福什，玻璃设计师带来了媒介方面的新创意，这使得他们成为玻璃世界的领导者。在第一次世界大战期间，瑞典工业设计协会[Svenska Slojdforeningen]受

96. 维克·林德斯特兰德为奥勒福什设计的"欧罗巴和公牛"，格拉尔花瓶[Graal vase]，1937年。97. 爱德华·赫拉德为奥勒福什设计的花瓶，雕刻装饰，20世纪20年代晚期。

到德国社会主义批评家和理论家赫尔曼·穆特修斯的启迪，发起了一场
运动，旨在批量生产中引进高标准的设计。应用艺术的每个分支均受益
于这个工业协会，瑞典玻璃加工生产是第一个充分利用此次新运动的应
用艺术。奥勒福什的拥有者约翰·艾克曼决定利用玻璃艺术生产线将其
扩大至家用器皿——墨盒及牛奶瓶、窗格玻璃。1915年，他向瑞典工业
设计协会申请，希望他们推荐一位玻璃设计师，协会向他推荐了一位前
途不可限量的书籍插画和平面设计师西蒙·盖特。盖特没有任何制作玻
璃的经验，于1916年来到奥勒福什，第二年爱华德·赫拉德加入该公
司，赫拉德对玻璃这种材料也完全陌生。他们两人组成了一个强大的团
队，并与玻璃吹制工克努特·贝克奎斯特，雕刻师古斯塔夫·埃布尔斯
通力合作。一种全新的风格形成了，尤其是格拉尔[Graal]公司的技术革
新，它改善了埃米尔·盖勒喜爱的法国新艺术的浮雕技术，在这种技术
里，各种彩色玻璃层层重叠，并用蚀刻或雕刻的浅浮雕进行装饰。

　　直到20世纪20年代，格拉尔公司的雕刻器皿延续了最初的新古典
主义风格，很大程度上受到了盖特的影响。赫拉德引进了一系列现代
主义的设计作品，如他所设计的"玩球的女孩"[Ball Playing Girls]
（1922），这个欢快的图像明显受到马蒂斯的影响。赫拉德在马蒂斯的
指导下，在巴黎学习了一小段时间。1927年，威克·林德斯特兰德，一
位富有才情的现代主义设计师，邀请赫拉德与盖特一起加入公司，他一
开始的实验包括用珐琅在器具上绘制出巴黎流行风格的人像与动物。20
世纪30年代，玻璃器皿因追随北欧百货[Nordiska Kompaniet, NK]在
斯德哥尔摩展出时引介进来的功能主义，变得笨重而且体积变得更大，
林德斯特兰德开始在厚重的波浪形器皿上雕刻"猎鲨者"[The Shark
Killer]以及"采珠者"[Pearl Fisher]的母题（均约为1937年）。作品的
细节令人回想起20世纪20年代中期的巴黎装饰艺术风格。与此同时，雕
塑家埃德温·奥尔斯通加入了奥勒福什[Orrefors]（图95）。他迅速发

展了亚雷尔[Ariel]的技术，改进格拉尔工艺，把气泡处理在水晶最外层之下的深槽或洞里。奥尔斯通和林德斯特兰德将亚雷尔和格拉尔工艺制作的玻璃器具，装饰以部落人像以及抽象几何图案等现代主义的纹样，同时突出表层之下气泡折射的特点。盖特1945年去世前，他用奇异有趣的、有点异国情调的现代主义风格进行装饰，如"所罗门王"[*King Solomon*]、"示巴女王"[*Queen of Sheba*]以及一系列蚀刻窗户饰板。

　　在比利时列日附近，瓦尔·圣·兰伯特[Val St Lambert]玻璃加工公司在第一次世界大战之后重新营业。20世纪20年代早期，这家公司引进了由莱昂·勒德吕[Léon Ledru]装饰、约瑟夫·西蒙[Joseph Simon]雕刻的流行风格主题的花瓶，并命名为"巴黎装饰艺术"[*Arts Décoratifs de Paris*]，水晶玻璃瓶身被透明的彩色涂层覆盖、其上刻有重复的几何图案。瓦尔·圣·兰伯特公司其他著名的设计师有莫德斯特·丹诺尔[Modeste Denoël]、查尔斯·格拉法特[Charles Graffart]、菲力克斯·马塔格尼[Félix Matagne]、雷奈·德文尼[René Delvenne]以及卢西安·皮提格诺[Lucien Petignot]。

　　在欧洲的中心，尤其是奥地利以及捷克斯洛伐克，玻璃仍保持着传统样式，其发展在两次大战期间受到约束，尽管偶尔也会有一些现代主义风格的作品，例如维也纳艺术与手工艺学校[Wiener Kunstgewerbeschule]、J. 与L. 罗贝迈尔[J. & L. Lobmeyr]、莫塞[Moser]以及斯泰因舍王岗工业大学[Steinschonau]、波-海达[Bor-Haida]以及巴戈利亚的茨维瑟尔[Zwiesel]用玻璃制作出现代主义设计。尤其是在波-海达，在亚历山大·福尔[Alexander Pfohl]教授的指导下，变化多端的巴黎流行风格主题被用于装饰玻璃器皿。然而，节制仍然是商业玻璃生产的流行口号。

　　在英国，当代艺术风格的发展整体也不容乐观，新西兰的建筑师基斯·穆雷[Keith Murray]的作品例外。穆雷自20世纪30年代晚期开始转向了玻璃设计。穆雷为布莱利山的史提文斯与威廉公司[Stevens & Williams]、斯塔福德公司设计现代玻璃。在斯陶尔布里奇、伍斯特郡，艾琳·M. 史提文斯[Irene M. Stevens]将一些装饰艺术风格应用到韦伯与科比特公司[Webb & Corbett]制作的玻璃器皿上。

美国

在路易斯·康福特·蒂凡尼提倡并广泛使用新艺术之后，美国的玻璃工业开始衰退。但还是有两家公司成功生产了一些基于法国装饰艺术风格的作品：斯托本[Steuben]和利比玻璃公司[Libbey Glass]。

98

98. 弗雷德里克·卡德为斯托本设计的玻璃：建筑玻璃格栅，20世纪30年代。**99**. 斯托本玻璃：花瓶精品，雪花石膏上装饰黑色浮雕，约1930年。

99

100

100. 利比玻璃公司："切分设计"［Syncopation］，趣味鸡尾酒杯，约1933年（理查德·波尔，卡斯特古董店收藏）。

　　斯托本玻璃公司生产昂贵的限量版艺术玻璃，装饰其上的图案与纹样来源于1925年巴黎博览会。公司由英国人弗雷德里克·卡德［Frederick Carder］于1903年设立，一开始，公司主要为科尼玻璃刀具公司［Corning Glass Cutters］生产晶体胚［crystal blanks］，1918年公司的这一主要职能被调整为一个部门。卡德是一位能干的工匠，他创立了一条彩色艺术玻璃生产线，一直运作至1933年。他在20世纪20年代和30年代早期的作品主要以法国装饰艺术风格为主，这主要体现在他1925前后设计的装饰有狩猎图案的花瓶上。酸蚀的半透明玻璃上装饰着跳跃的羚羊图案，还有早年流行于巴黎沙龙风格化的树叶形以及曲线和Z字形的装饰主题。

　　1933年，卡德被具有新观念的设计师、雕刻师西德尼·沃［Sidney Waugh］所取代。由卡德创立的彩色玻璃生产线被废除，公司仅生产无色水晶玻璃。

西德尼·沃的风格借鉴自西蒙·盖特和爱德华·赫拉德10年前的雕刻设计。他利落雕刻出的拉长的，高度风格化的人像，呈现出浅浮雕的效果。他第一次展出的作品是现在非常著名的蹬羚花瓶[Gazelle Vase]（1935）。这个装饰主题流行于20世纪20年代，12种风格各异的蹬羚重复地出现在花瓶的饰带上，这不仅见于法国的设计，还见于保罗·曼希普[Paul Manship]的雕刻、威廉·亨特·迪德里希的陶瓷和雕刻。

1937年，斯托本委托27位著名的画家以及雕塑家，在水晶制品上设计装饰图案，这些艺术家包括亨利·马蒂斯、让·科克托、乔治·奥·基夫[Georgia O'Keeffe]、玛丽·洛朗桑、帕维尔·切利科夫[Pavel Tchelitchev]、萨尔瓦多·达利[Salvador Dali]、托马斯·本顿[Thomas Benton]以及埃里克·吉尔。同一年，斯托本获得了巴黎博览会的金奖。公司也同时参加了1939年旧金山和纽约世界博览会。

利比玻璃公司是20世纪30年代美国商业玻璃设计的新锐企业。1933年前后，它引进了新奇的鸡尾酒杯，"切分法"[Syncopation]的角状杯脚明显受到立体主义的影响。20世纪30年代晚期，沃尔特·多温·提格和埃德温·尔斯特[Edwin W. Fuerst]为公司设计"大使馆"图案，接近于现代主义风格，带有长凹槽的柱形杯脚借鉴自纽约摩天大楼的外形。

现代主义的影响

1925年前夕，使20世纪20年代流行的风格黯然失色的现代主义风格开始在法国流行起来。在巴黎，新精神[L'Esprit Nouveau]预示着现代主义的来临，一群进步的设计师和建筑家在阿米德·欧珍方和勒·柯

101

布西耶的带领下走向现代主义，1925年的博览会上，他们前卫的展馆震惊了世界。同一展览中，建筑师罗伯特·马莱-史提文斯发表了关于使用玻璃作为其"旅游展馆"[Pavillon du Tourisme]的设计媒介的革命性宣言。展馆的结构是严谨简洁的几何形，平整的天花板和几何形的铅化玻璃饰带由路易斯·巴里特[Louis Barillet]设计，巴里特把自然光引入室内。在20世纪20年代，巴里特也设计了各种各样高度风格化的铅化玻璃与屏风，正如雅克·格鲁伯[Jacques Gruber]、阿尔伯特·古恩诺[Albert Guént]、保拉[Paula]和马克斯·安格兰[Max Ingrand]一样，经常用酸蚀以及喷砂工艺制作对比强烈的黑色和乳白色的饰板。

其中一个在建筑方面最大规模的应用玻璃的案例应该是由皮埃尔·夏罗设计的兼具诊所和住宅功能的玻璃之家。夹丝玻璃被用于内部隔断上，而小块方形"内华达"[Nevada]玻璃砖块则被运用在建筑立

101. 灯具与玻璃联合公司："鲁巴菱形"[Ruba Rombic]餐具精品，棕色玻璃，1931年（小W.M.施米特）。

面上用于分隔外部空间以及分散日光。

　　1930年，现代主义艺术家联盟的组织致力于现代主义运动的发展和统一。现代艺术家联盟成员所设计的著名玻璃作品涉及范围广泛：从罗伯特·马莱—史提文斯设计的弯曲的镀铬金属与玻璃家具到路易斯·索洛设计的奢华玻璃床和家具，再到夏洛特·艾利克斯[Charlotte Alix]为印度王公设计的宫殿。

　　玻璃也被广泛地应用到英国现代主义建筑上。埃里克·孟德尔松[Erich Mendelsohn]和希尔盖·切尔马耶夫设计的位于滨海贝克斯希尔的"战争展览馆"[Warr Pavilion]（1935—1936），韦尔斯·科茨[Wells Coates]设计的位于布莱顿的大使馆法院公寓（1935），以及爱丽丝与克拉克[Ellis & Clarke]设计的位于伦敦的每日邮报大楼（1929—1932），这些建筑证明玻璃这种材质正逐渐融入英国前卫的建筑设计中。英国建筑师也将玻璃应用于室内设计，尤其是酒店和其他的公共区域，诸如奥利弗·伯纳德[Oliver Bernard]为斯特兰德宫酒店（1929—1930）入口处设计的背光式玻璃饰板，奥利弗·米尔恩[Oliver Milne]在重新装修克拉里奇酒店（1930）时使用的镜面玻璃饰板，巴热尔·艾奥尼迪斯[Basil Ionides]的全玻璃萨沃伊剧院前厅，前厅中还包括由杰姆斯·波威尔[James Powell]的惠特弗利玻璃工厂[Whitefriars]制作的壮观的发光玻璃柱。

　　德国包豪斯对美国影响深远，首要的原因是许多杰出的德国设计师和建筑师在战争期间移民到了美国，包括密斯·凡·德·罗、沃尔特·格罗皮乌斯[Walter Gropius]、马塞尔·布劳耶、约瑟夫·阿尔伯斯[Josef Albers]以及拉斯洛·莫霍利—纳吉[Laszlo Moholy-Nagy]。在他们的影响下，玻璃成为美国设计师表现现代性的符号，镜面玻璃酒柜、磨砂玻璃饰板、玻璃饰板镶嵌的椅子开始成为流行的现代主义家具。

位于宾夕法尼亚州科里奥波利斯的灯具与玻璃联合公司进行了一次低成本的尝试，他们试图将其生产的19世纪30年代的美国家用玻璃器皿现代化。他们设计了一条名为鲁巴菱形[Ruba Rombic]的立体主义玻璃器皿生产线，这条生产线生产的产品以淡色为主调，如灰色、托帕石和琥珀等色，并以"花园与家庭的建设者"[Garden and Home Builder]为题进行广告宣传，如"全新的现代玻璃桌……因此超智能，犹如明天的报纸一样现代"。

唐纳德·德斯基把玻璃运用到各个领域：如在建筑上，他使用玻璃砖制造间接照明；在家居上，他利用玻璃顶和玻璃架获得透明性和平面性的效果。他于1926至1927年创作的台灯为我们提供了典型的实例：如何将欧洲的多种风格融合为统一的整体。带肌理的玻璃面板的使用令人回想起路易斯·巴里特的作品，德斯基在1925年巴黎博览会上看到过他的作品。

美国许多其他的设计师也有类似的理念。其中吉尔伯特·罗德以及雷姆·韦伯[Kem Weber]均在他们的家具设计中使用玻璃。例如，韦伯设计的一个茶几，三块圆形玻璃板水平分离，固定在垂直的镀银铜支架上，制造出多重的透明空间，这可与劳姆·嘉伯[Naum Gabo]和安东尼·佩夫斯纳[Antoine Pevsner]的构成主义作品相媲美。

第六章 │ 陶瓷

在考察装饰艺术运动时期的瓷器时，我们主要倾向于集中讨论影响一年一度的巴黎沙龙和1925年国际博览会的流行风格[high style]。这种20世纪20年代的装饰元素（以矫揉造作的女性形象，与瘦长的动物轮廓、传统的花卉、涡卷形装饰或几何图案背景的相互衬托）非常重要，体现了两次世界大战之间的现代主义瓷器的艺术价值。

如果把1919至1939年这一时期生产的陶瓷划分成三个相对清晰的类型，一幅较为全面的装饰艺术运动时期的陶瓷设计景象将呈现眼前。第一个类型，也是最重要的类型，是陶艺艺术家创作的作品，他们直接继承了19世纪晚期和20世纪早期的改良运动的风格遗产；第二个类型，是更为传统的陶瓷加工厂生产的陶瓷，其中有一些生产厂自从18世纪瓷器被引进欧洲后便不断地生产制作；第三个类型，工业陶瓷的诞生，这也许是为20世纪独特美学发展做出贡献的最为重要的时代，陶瓷被特意设计成系列化的产品，这是1900年艺术与工业联姻所未曾预料到的结果。

陶艺艺术家

当约翰·拉斯金[John Ruskin]和威廉·莫里斯[William Morris]强调手工艺的价值时，他们也同时抨击维多利亚晚期在美学和工艺方面都品质低劣的瓷器。大量富有的中产阶级的出现，促进了价格低廉、粗糙的陶瓷的大规模生产。为了对抗这种发展趋势，艺术改良者赋予手工艺品更高的道德境界和艺术化的内涵，将手工艺人提升到艺术家的地位，从而赋予他们创作的作品以高贵的意义。"艺术陶瓷"变成高贵的艺术形式。手工艺人被看作是品德高尚的人,而机械及其产品则是邪恶的根源。

同样重要的,这个时期欧洲逐渐意识到了东方风格。这种一开始和远东风格相互融合[cross-fertilization]的风格很明显存在于日本式的陶瓷制品中,这种风格在19世纪80年代由伍斯特皇家陶瓷公司[Worcester Royal Porcelain Company]等引介到英国。20世纪初,在柏林的恩斯特·赛吉尔[Ernst Serger],巴黎的奥古斯特·德拉哈切[Auguste Delaherche]和恩斯特·查佩特[Ernest Chaplet],美国的阿德莱德·罗比诺[Adelaide Robineau]和卢克伍德陶瓷厂[Rookwood Potter]的作品中,可看出他们对东方上釉技法的迷恋。

第一次世界大战后,随着人们开始重新购置家庭日用品,手工艺市场开始重新活跃起来。陶艺师开始有效的参与到陶艺制作的各个过程当中——设计、铸模、上釉。从某种程度上来说,往往很难将这种情况与他们工艺美术运动中的先行者区别开来。从来没有任何时期的陶瓷工艺能够像20世纪10年代与20年代法国陶瓷这样精湛。掌握上釉技术变得至关重要。然而这种对于完美技术的全神贯注是以艺术家的创造性为代价的,而艺术创新则留给了英国人以及由维也纳人所激励的美国人,他们在"二战"前为陶瓷注入了新的活力。

法国制陶师安德烈·莫泰[André Metthey]成为改革者和现代主义风格初期之间重要的连接人物。尽管他主要的作品均在"一战"前制作完成,但是他的作品所包含的母题成为装饰艺术运动时期工匠们的标准范本。莫泰起初进行粗陶制作,而后转向彩陶制作,直至1921年去世。他曾经邀请巴黎学校的艺术家装点他的陶制品,这些艺术家包括博纳尔[Bonnard]、马蒂斯、雷东[Redon]、丹尼斯[Denis]、雷诺阿[Renoir]和维亚尔[Vuillard]等。

102. 安德烈·马吉：陶碗，大约1920年
（由威廉·道尔画廊提供）。
103. 雷奈·布托：陶瓶，20世纪20年代。

　　从工艺上来说，制陶师埃米尔·德科尔[Emile Decoeur]的作品更
为重要。他的粗陶器[stoneware]和瓷器被认为是造型和装饰的完美结
合。起初，他将变色釉[flambé glazes]与陶胚上丰富的彩色涂层以及雕
刻装饰相结合，到20世纪20年代时，他的风格逐渐演变成单色釉。由于
单色釉的效果明亮，光彩夺目，故而不再需要使用其他形式的装饰。

　　埃米尔·勒诺布勒[Emile Lenoble]的作品容易使人联想到韩国青
瓷与中国宋瓷。他混合高岭陶土制作异常明亮的粗陶，并设计几何图形
和传统的植物母题以适应简约形式的陶器。这些装饰雕刻在器皿及其彩
色涂层上并往往与精美的青瓷釉综合使用。

　　乔治·塞尔[George Serré]的作品深受其曾在东方旅居这段经历
的影响，他曾在那里教书并逐渐迷于中国和柬埔寨的艺术风格。他制作
了大量雕刻有简单几何形母题的器皿，并利用釉料工艺使得这些器皿具
有类似于切割的石头的质感。

亨利-保罗·拜尔[Henri-Paul Beyer]因其恢复盐釉粗陶的制作工艺而出名，他常在欧洲本土传统的器皿上绘制简单的人物形象。让·贝纳德[Jean Besnard]的独特釉彩作品也受到本土传统的启发，他所制作的部分陶器如蕾丝般精致。而另外一些则使用模具制作，或利用粗朴的技法雕刻动物、鸟兽图案，并施以厚釉。俄罗斯移民、罗丹的徒弟塞拉芬·索特宾里尼[Séraphin Soudbinine]专制陶瓷和粗陶，他所制作的器皿非常有预见性的具有三维的立体效果。

在布洛涅-比扬古[Boulogne-sur-Seine]，在20世纪最初的几年里，艾德蒙·拉什纳尔[Edmond Lachenal]开始使用变色釉进行制作，随后逐渐发展出一种精确模仿景泰蓝几何图形的上釉技法。在颜色的选择上，他将一种明亮的绿松石蓝色与有裂纹的乳白色和米黄色背景搭配。亨利·西门[Henri Simmen]是拉什纳尔的学生，利用对称的雕刻装饰来加强其釉色。西门的日本太太，西门·奥·金夫人[Mme O' Kin

104. 雷奈·布托：陶瓶，曾在巴黎国际殖民博览会展出，1931年。105. 约瑟夫·霍夫曼："奥格腾"[Augarten]，陶瓷茶具，20世纪20年代（由佳士得拍卖行提供，纽约）。

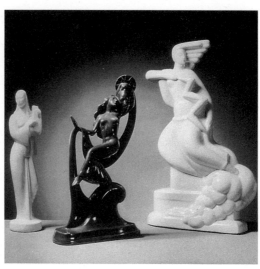

106

107

Simmen]雕刻象牙、角质的瓶塞和手柄用以加强亨利·西门作品的效果。

让·马尤顿[Jean Mayodon]精巧的彩色陶器以其人物绘制技法和裂纹釉而出名，他的许多高水平的装饰艺术风格的陶瓷均出自马里安·马普佐的设计。马尤顿特别擅长制作瓷砖，他受到来自诺曼底许多地区的远洋轮船的委托。雷奈·布托[René Buthaud]喜欢使用简单的、球根状的形式配合简单的人物形象作为装饰。布托在吉伦特省的省会波尔多工作，他所使用的现代主义意象经常让人联想到他的朋友兼邻居让·杜帕斯[Jean Dupas]的绘画，杜帕斯画了许多这类姿势撩人的柔弱少女形象。尽管是这类风格，布托的技术才华还是能够在厚厚的龟裂

106. 瓦利·维泽尔蒂尔：铅釉陶像，1929年前（穆里尔·卡瓦希克收藏，查尔斯·尤特拍摄）。**107.** 韦兰·格雷戈里：3个釉面人物，20世纪20年代至30年代晚期（克利夫兰艺术学院拍摄）。

纹[craquelure]或蛇皮纹的[peau de serpent]釉彩中得到证明，他于20世纪30年代掌握了这种技术。在法国首都之外的迈松阿尔福，菲利克斯·马索尔[Félix Massoul]经常与其妻子玛德琳[Madeleine]一起合作制作陶瓷，他喜用明亮的金属釉色。

维也纳手工工场为不同领域的手工艺人建构起一个平台。工场成立于1903年，其目的是为企业提供可行的商业模式，并支持各地改革者提出的建议，即联合艺术家和手工艺者，提高装饰艺术的地位。工场最初的风格以严峻、硬朗为主，但也许是回应"一战"所造成的各方面的匮乏，工场的陶瓷工作室逐渐形成了另一种自发的风格。在整个20世纪20年代，苏斯·辛格尔[Susi Singer]、古顿·鲍迪斯[Gudrun Baudisch]、瓦拉里克·维塞尔蒂尔[Valerie（Vally）Wieselthier]和其他人创作了一种极度怪诞的风格，以粗糙的形制、明亮且不和谐的水滴釉彩效果为特征。在1925年的博览会上，维塞尔蒂尔独自展出作品，同时也通过维也纳手工工场展出作品。在博览会上，迈克尔·波沃尔尼[Michael Powolny]和约瑟夫·霍夫曼通过维也纳的克拉米克[Weiner Keramik]工作室展示了其现代主义风格的陶艺作品。1928年维也纳手工工场的陶工参加了陶瓷艺术国际博览会，此展览在美国7个城市进行巡展，这个重要的展览直接导致了辛格尔和维塞尔蒂尔后来移民美国的决定。20世纪30年代，辛格尔定居在美国的西海岸，而维塞尔蒂尔搬到曼哈顿之后，声名鹊起，同时在纽约的当代陶艺工厂[Contempora]和俄亥俄州的锡布灵[Sebring]陶艺工厂的任职。

通过移民到克利夫兰的朱利叶斯·米哈利克[Julius Mihalik]的教学，美国开始受到奥地利的影响。他的一批学生创办并服务于克利夫兰西部的罗基里弗考恩陶瓷。维克托·斯瑞克高斯特[Viktor Schreckengost]、韦兰·德·桑蒂斯·格雷戈里[Waylande De Santis Gregory]与塞尔玛·弗雷泽·温特[Thelma Frazier Winter]在经

108. 维克多·斯瑞克高斯特：宾治盆，考恩陶瓷，釉雕装饰，1931年（考恩陶瓷博物馆收藏，拉力·L.佩兹拍摄）。

108

济转型中生存了下来，但他们为了能够运作独立陶瓷工作室而于1931年结束了考恩陶瓷。

　　在考恩陶瓷的作品目录里，有1928年从欧洲回到美国的艺术家韦兰·格雷戈里设计的新艺术风格小雕像。考恩陶瓷关闭之后，格雷戈里的雕像风格开始变得成熟，性感的装饰形式加上淡褐色或水洗状态的单色釉，这成为他20世纪30年代后期代表作的一大特色。比如他于1931年在纽约世界博览会展出的作品《原子泉》[Fountain of the Atoms]。维也纳特有的幽默感在他那轻盈的、活泼的小雕像里显而易见。相似的幽默感也可在克利夫兰的艺术家中发现，如塞尔玛·弗雷泽·温特的雕像和群雕表现了她在使陶瓷的雕像呈现出金属或石头质感方面的探索。

　　维克托·斯瑞克高斯特的陶艺作品所表露出的维也纳风格非常直接。1929年他在维也纳陶瓷公司工作，并师从迈克尔·波沃尔尼。他的人物形象设计显示出一种典型的奥地利质感。作为一位业余的爵士音乐家，他因设计了系列"爵士"宾治盆[punchbowl]而著名。这些系列设计中的第一件作品以刮痕法［sgraffito］制作，是由埃莉诺·罗斯福［Eleanor Roosevelt］委托设计的。她非常喜欢他的设计，很快为即将搬去的新家定制了第二件作品。罗斯福一家即将从纽约政府大楼搬到白宫。仔细观察这些盆上活泼的装饰纹样——香槟泡沫、煤气灯、音符、霓虹灯等等，让人回忆起了诸如查尔斯·希勒［Charles Sheeler］和查尔斯·德慕斯［Charles Demuth］的艺术精神。"爵士"宾治盆是考恩陶瓷公司最后的作品之一，共50只盆，每只盆都在原型的基础上有些细微的变化，在白色陶胚的黑色涂层上用刮痕法刻出装饰图案，再于最外层施以埃及蓝绿色的透明釉。这些碗在画廊、商场以50美元的建议零售价出售。现在，大部分碗已去向不明。

斯瑞克高斯特对于20世纪30年代的美国陶艺发展产生了深远的影响。他参加了克利夫兰的"五月展"和国家陶瓷展，不断受到赞扬并获得了奖项。他那强烈的、色彩斑斓的、诙谐的设计灵感来源于他在奥地利的学习经历。

卡尔·沃尔特斯［Carl Walters］原是一位训练有素的画家，1919年，他改行成为陶艺家。他制作了许多上釉模型，灵感来自各种各样的美国民间艺术和埃及精致的彩色陶器。他精致的限量版动物陶像依赖于精湛的制模技术。威廉·亨特·迪德里希虽然也制作陶器，但他更为出名的是高雅的金属制品。他的作品以动物的剪影为最大特色，使人联想起早期地中海陶瓷的"透明的水彩"［transparent washes］风格和技术。

亨利·瓦纳姆·普尔［Henry Varnum Poor］，其画家的身份更为人所熟知，但由于经济需求而把部分精力转向陶瓷制作。由于受到原始陶器的激发，他一开始制作简单的餐具，然后将重点逐渐转向更有利可图的建筑委托。他的风格基本保持不变，主要依靠陶胚上涂的底色和刮痕法制作的装饰来产生微妙的变化。

克兰布鲁克艺术学院于1932年成立于密歇根州布隆菲尔德山，发展成熟于两次世界大战期间。这个学院以作为第二次世界大战之后的工作室运动的催化因素而著名。而最为著名的是埃利尔·沙里宁为雷诺克斯[Lenox]设计的一套优雅的晚宴用具，还有迈亚·格罗泰尔[Maija Greotell]所创作的静谧、朴实的设计，这些设计为克兰布鲁克艺术学院争得了名誉。这一时期格罗泰尔创作的陶艺作品显示出她对东方烧窑技术的掌握，透露出她对质感与釉料的熟练处理能力。

陶艺加工厂

20世纪20和30年代，法国和德国的国有工厂曾一度停工。整个19世纪，这些工厂变成了保守主义者的堡垒，专门为富庶阶层生产昂贵的装饰品，而不是尝试去拓展接受现代主义的顾客。国有工厂整体上了无生气，很难回到往昔，它们因永无止境地生产看起来似乎很受欢迎的

109

109. 让·博蒙特设计，由赛佛尔烧制：陶瓶，青铜支架，20世纪20年代。

110   111

18世纪样式而失去了活力。这给斯堪的纳维亚提供了契机，其艺术与手工艺之间的界限划分比较灵活，整合了陶瓷的美学思想和现代装饰的基本原理。

其他适应能力更强的陶艺家，开始把他们的注意力转向探索现代风格的可能性。这些受法国影响的比利时公司，在英国形成两个结果：生产现代瓷器和复制不同时期的瓷器，并且在不同的欧洲国家和美国公司直接生产具有1925年风格的作品。具有讽刺意味的是，这正是上文提到的为大部分人生产使得装饰艺术风格流行、普及，到最后却加速了它的衰落。

尽管塞夫尔[Sèvres]仍努力地朝着现代化的方向进行生产，但20世纪二三十年代，还是被普遍认为是塞夫尔艺术性枯竭的时期。从1920年开始，在乔治斯·勒舍瓦利耶·舍维尼尔[Georges LeChevallier-

110. 朗维：装饰陶盘，乐·蓬·马歇百货公司销售，20世纪20年代。**111.** 青春工作室：陶艺茶具，巴黎，20世纪20年代（霍华德·佩里·罗斯伯格收藏）。**112.** 罗吉：一套爵士音乐家陶瓷三人像（苏富比提供，纽约）。

Chevignard]的指导下，工厂带着委托艺术家-设计师、建筑师制作的作品参加了1925年博览会，他们的专业知识超越瓷器领域，如：埃米尔·雅克·鲁赫尔曼、让·杜帕斯、罗伯特·邦菲斯[Robert Bonfils]、菲利克斯·奥贝尔[Felix Aubert]、简[Jan]和约尔·马蒂尔[Joël Martel]、埃里克·巴格[Eric Bagge]和路易斯·佐尔孟斯[Louis Jaulmes]。亨利·帕图[Henri Patout]、马克斯·布兰德特[Max Blondat]、勒·邦佐瓦、查尔斯·海伦[Charles Hairon]和西蒙·丽思[Simon Lissim]所制作的陶艺雕像及中楣[friezes]带点缀着工厂的展览馆及花园，最后提到的这位是舞台设计师和书籍插画家，其提供了一幅具有尖锐多角的立体主义画像。亨利·罗宾和莫里斯·甄索里[Maurice Gensoli]为展厅的室内配套设计了一系列半透明的陶瓷灯具，以及质地轻盈、略带装饰的餐具。而亨利·罗宾本人则是新成立的塞勒夫彩瓷部

113

113. 查尔斯·卡托设计，博世公司烧制：陶艺花瓶，约1925年。**114**. 查尔斯·卡托：精选粗陶瓶和瓷瓶，约1925年。

的负责人。

在现代主义风格里，最为成功的是法国中西部城市利摩热的西奥多·哈维兰公司[Theodore Haviland et Cie]生产的现代风格的餐具。这些餐具均来自艺术家的设计，诸如迈特雷-维里尔[maître-verrier]的女儿苏珊娜·拉里克[Suzanne Lalique]，劳尔·杜菲的兄弟让·杜菲[Jean Dufy]，他们明显希望改变传统的样式以适应当代装饰的语言。因玻璃设计而更为人所熟知的马塞尔·古皮[Marcel Goupy]用陶瓷和玻璃设计了整套晚宴用具，并用相当保守的植物图案进行装饰。另一位艺术家让·卢斯[Jean Luce]的玻璃设计则盖过了他在陶艺方面的成就，他为哈维兰公司设计了一套具有现代主义风格的餐具。爱德华 M.

桑德斯[Edouard M. Sandoz]所设计的那些惹人喜爱的、以上釉陶瓷与淡黄褐色颜料制作的小动物陶瓷雕像，也均来自工厂的委托。

　　20世纪20年代，巴黎最大的百货商店开始出售由自己工作坊设计的各种各样的家用陶器。在波莫纳，夏洛特·尚梅-圭乐尔[Charlotte Chaucet-Guillère]（青春工作室的艺术总监）、玛德琳·邵格斯[Madeline Sougez]、马塞尔·雷纳德[Marcel Renard]、克劳德·利维[Claude Lévy]创作了具有简约装饰的餐具和小件装饰来作为他们所设计的家具的配件。在老佛爷百货公司，大师工作室总监莫里斯·杜弗雷纳[Maurice Dufrène]、雅克和让·阿涅、伯尼法斯[Bonifas]以及梅森妮[Mlle Maisonee]也专门为商场设计了一条生产家用陶器的生产线，并由安德烈·法罗与吉亚尔[André Fau & Guillard]和 卡拉米斯[Keramis]在比利时负责生产。

　　路易斯·苏和安德鲁·梅尔的法国艺术公司是1925年博览会百货大楼展厅中获得声誉最高的公司。他们的餐具组合通常以大量的漩涡纹

114

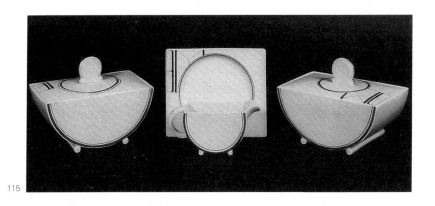

115

和植物纹样进行装饰，如汤碗和蔬菜盘。这些丰富的装饰使人回忆起路易斯·菲利普时期的设计。在展览会上，保罗·维拉和乔斯·马丁利用系列雕刻着斜倚裸女的陶瓷浅浮雕以增强其展厅的装饰效果。

朗维[Longwy]公司所生产的一种源于北非瓦片黑色轮廓的鲜艳颜料，成功地与跳跃的羚羊和风格化的植物等20世纪20年代流行的形象相结合。

20世纪20至30年代早期，罗伯特·拉勒芒[Robert Lallemant]的陶瓷反映出法国当时流行棱角分明的造型时尚。这些陶瓷逐渐以运动场景、18世纪风格化的小插图或引用流行诗篇加以装饰。1929年拉勒芒创作了一系列运动形象。他塑造了许多器皿的灯座以展现其纯粹的装饰意图。当时，雅克和让·阿涅设计，蒙特罗陶瓷厂[Faiencerie de Montereau]生产了一系列与之风格类似的，外形棱角分明的瓷器。

巴黎零售商罗杰[Robj]销售由各位设计师所设计的人像玻璃酒瓶及其他装饰品，这些陶瓷小雕像上隐约显现的立体主义相当迷人，经常

115. 克莱瑞斯·克里夫："比亚里茨"陶具四件套，20世纪20年代晚期。**116**. 克莱瑞斯·克里夫：纽波特陶瓷，陶瓷器皿精品，约1930年。

成系列地被顾客收藏。

　　随着19世纪著名的维也纳工厂的关闭，只有奥格腾[Augarten]公司和亚瑟·戈德沙依德[Arthur Goldscheider]公司仍然持续对生产奥地利现代风格陶瓷器皿做出贡献。奥格腾公司仅有限地选择生产由约瑟夫·霍夫曼和恩纳·罗滕伯格[Ena Rottenberg]所设计的装饰器皿。20世纪20年代，戈德沙依德工厂主要以生产女芭蕾舞演员和女丑角装饰的瓷器为主，有一些来自洛伦佐[Lorenzl]的样板，受到一定程度的欢迎与青睐。在1925年的博览会上，巴黎分公司展示了一系列非常有意思的由埃里克·巴格、亨利·卡佐[Henri Cazaux]和西比尔·梅[Sybille May]设计的陶艺餐具、小雕像和灯座。

　　在比利时的卢维耶，博世[Boch]公司旗下的卡拉米斯公司[La Louviere]积极地生产现代风格的瓷器。查尔斯·卡托[Charles Catteau]设计了大量巴黎流行风格的陶瓷餐具，以跳跃的羚羊和植物主题居多（图113、图114）。他选择用湛蓝色和蓝绿色的釉施于带有裂纹的象牙色背景上，这令人联想到拉什纳尔[Lachenal]早年的用

116

117   118

色。这家公司与巴黎的春天百货商店共同分享其在此条生产线上所获得的商业成功。

在德国，只有柏林加工厂展现出他们对20世纪设计的兴趣。新艺术时期的幸存者，马克斯·洛热[Max Lauger]曾创作过少量现代主义风格的餐具和陶瓷样式。

在位于意大利多西亚的理查德·基诺里陶瓷公司[Societa Ceramica Richard-Ginory]里，建筑师吉奥·庞蒂制作了一系列传统的易碎的精美陶瓷，陶瓷上带有繁复而矫揉造作的装饰，但他同时也制作现代主义装饰元素的陶瓷，如带有运动场景、怪诞的装饰、几何图形等等。在都灵，欧仁尼奥·寇莫[Eugenio Colmo]也开始将兴趣转向陶

117. 威廉·卡治为古斯塔夫斯贝里设计："阿真塔"瓷瓶，绿色哑光釉[green-matglaze]，银质装饰，约20世纪30年代。**118**. 罗斯维尔陶瓷："现代"陶瓶，20世纪30年代。

艺设计，在白色陶瓷的空白处用亮丽的色彩绘制鲜明的装饰艺术运动风格的图像。

英格兰乔赛亚·韦奇伍德父子[Josiah Wedgwood & Sons]公司是19世纪第一批聘请平面艺术家来装饰货品的公司，1935年公司在艺术总监维克多·斯科莱姆[Victor Skellern]的指导下再次推进这一做法。著名的雕刻师和画家埃里克·拉菲留斯[Eric Ravilious]受邀装饰由建筑师基斯·穆雷[Keith Murray]设计的素白瓷器，他运用了转印工艺。拉菲留斯认为被选中生产的只是他那些缺乏创新精神的作品，因而抱怨管理者"认为我美丽的设计是超出公众接受能力的，而我们必须做一些更为安全和可理解的器物……"，然而他那独特的书法风格开始在加冕礼的杯子上显现出优势，譬如在一套"划船比赛"[Boat Race]主题的碗、各种餐具、"满月"[Harvest Moon]主题的餐具中，然而直到他于第二次世界大战期间去世之后，其中的某些作品才真正投入生产。

很少有英国艺术家愿意不辞辛劳地把现代装饰风格转换到手工艺品上。但有两位艺术家例外，一位是埃里克[Eric Slater]，他负责为莎莉·波特瑞斯[Shelley Potteries]设计和装饰餐具，另一位是苏思·库伯[Susie Cooper]，他负责烧制简单的装饰作品。1931年，库伯接受伍德的邀请，烧制她自己设计的作品。她设计、装饰了几十件餐具，这与英国消费者天生的保守观念不同，她用轻柔的色调制作了抽象图形或几何形的"爵士风格"图案。她极度关注设计与市场的各种细节，这为她带来了极大的成功。

另外还有一种典型的做法，如克拉瑞斯·克里夫[Clarice Cliff]由纽博特陶瓷[Newport Pottery]于1928年生产的怪诞餐具，她所使用的颜色、几何形和怪诞形状，成为过度装饰以及过度运用装饰艺术运动风格的代名词。其聪明的营销策略包括取一些花哨的名字，例如讨人喜欢的[Delicia]、宽袖中长手套[Biarritz]、异想天开者[Fantasque]，适当的价格同样也有助于她的陶瓷更为流行和普及。但是她所聘用的艺术家如瓦内萨·贝尔和邓肯·格兰特已经忙于陶瓷的装饰工作，而其他的艺术家如弗兰克·布朗温爵士、格拉姆·萨瑟兰[Graham Sutherland]以及劳拉·赖特则没那么成功。这些艺术家受纽博特的总公司A. J. 维金森公司[A. J. Wilkinson & Company]的委托设计陶艺作品，但他们的陶瓷却不受欢迎。评论家将其理念比作"被腐蚀的照片"[eating off pictures]，项目很快被终止了。

在瑞典，威廉·卡格[Wilhelm Kage]是古斯塔夫斯贝里[Gustavsberg]一家陶瓷公司的艺术总监。他的阿真塔粗陶器具有高品位的装饰艺术特征，他喜欢将银制造型镶嵌到绿色哑光釉的背景上，其效果类似带铜绿的青铜[verdigris bronze]。在1925年博览会上，古斯塔夫斯贝理参加了罗斯兰陶瓷加工厂的瑞典展厅，这个展厅中展示了一系列低调的植物纹杨的设计作品。卡格1933年的柏卡[Praktika]餐具显示了功能主义美学的开端，同时也保留了传统设计的元素。在挪威，诺拉·古尔布兰森[Nora Gulbrandsen]为波斯格伦的博沙恩法布里克[Poresaensfabrik]设计的陶瓷明显地体现了现代的审美。

在美国的中西部，最具代表性的陶瓷设计由于太过保守而无法接受新风格。洛克伍德陶瓷公司鼓励独立装饰师，如珍斯·詹森[Jens Jensen]、爱德华·T. 赫丽[Edward T. Hurley]、伊丽莎白·巴雷[Elizabeth Barrett]和哈利特·E. 威尔克斯[Harriet E. Wilcox]通过当代陶瓷艺术评论熟悉巴黎最新的时尚趋势，但自20世纪20年代中期以后，连续的财务变动阻碍其实了任何形式的创新与冒险。同样面临问题的陶瓷公司有傅柏[Fulper]、纽科姆[Newcomb]、范·布里格尔[Van Briggle]、格律比[Grueby]，自从1900年的辉煌之后，他们面临着各种不同程度的衰退。仅有罗斯维尔[Roseville]敢于生产新的系列设计，名为"福图拉"[futura]，其灵感来自纽约摩天大楼阶梯状的外形。

工业设计

　　也许20世纪最重要的发展是出现于两次大战期间的专职工业设计师。今天我们把这种职业看成是艺术和工业之间的内在联系，是在无数个领域尝试后的结果，这不仅仅是在陶瓷设计领域，同时也证明好的设计可以兼具经济价值和功能性。20世纪30年代真正的工业陶瓷没有衍生出新的形式，装饰方面也逐渐匮乏，批量生产使其几乎丧失了所有的特征。在这十年里，人们逐渐接受了功能化的形式与现代工业技术的结合。机器，几十年来均被认为处于好设计的对立面，此时变成了辅助优秀设计批量化生产的有力工具。

　　这个发展的转折点可追溯至1919年包豪斯在魏玛的成立。即使今天所有在战后出现的功能性设计形式（从茶杯到座椅家具）均被认为是"包豪斯"式的，但包豪斯学校的成立并非为了创作一种风格，而是发展出一种应用艺术的新方法。尽管包豪斯工作坊里的陶瓷工作里并没有出现像金属器皿设计师马里安·布兰特[Marianne Brandt]或密斯·凡·德·罗那样的人物，但值得注意的是，包豪斯的陶艺师十分彻底的反对传统，这是由于他们的艺术创作刚好处于第一次世界大战战败后成立的魏玛共和国的混乱时期。魏玛初期的陶瓷生产缺乏足够的设备，但当包豪斯的工作室由马克斯·布列汉[Max Brehan]做技术监督，于1921年在多恩堡[Dornburg]附近成立时，这些不足随即变成有利因素。在众多学科中，多恩堡工作室结合艺术与手工艺进行的创作，最为接近格罗皮乌斯最初的宣言。

　　位于柏林的国家陶瓷工厂[Staatliche-Porzellan fabrik]是德国仅有的一家对于功能主义显示出兴趣的工厂。它与工业设计最直接的联系产生在它雇佣了前包豪斯的学生玛格丽特·弗里德兰德–威尔登海恩

119

[Marguerite Friedlander-Wildenhain]时，她于1930年设计了外形简
洁、经典的名为"哈雷"[Halle]的陶艺作品，平整的线条是其上仅有的
装饰。

　　特鲁德·柏翠[Trude Petri]1930年为乌尔比诺市做的设计乌尔比
诺[Urbino]陶艺作品更加引人注目。有些设计持续生产了40年，这些设
计是第一批不靠颜色或者装饰而取得商业上成功的作品。同样属于功能
主义作品的还有赫尔曼·格雷奇博士[Dr. Herman Gretch]为阿茨贝格
陶瓷公司设计的名为"阿茨贝格1382"[Arzberg 1382]的陶艺作品。
比起那些柏林的当代器皿，这件设计的样式再次放弃了装饰，展现出更
　　为柔软、更为圆润的轮廓。格雷奇的这件作品的首次展出是在

119. 拉塞尔·赖特："美国现代"晚宴用具精品套装。上 从左至右：茶壶，水壶，船形
调味碗碟，醒酒器；下 糖罐，谷物碗，盐罐与胡椒罐，杯子与杯托，长盘，牛奶壶。豆棕
色和珊瑚色釉，1937年设计（威廉·斯特劳斯收藏）。

1930年德国德意志制造联盟的展览[Deutsche Werkbund Exhibiition]上，并分别获得了1936年米兰三年展和1937年巴黎展览的金奖。这些设计预示了陶艺师对装饰形式逐渐丧失兴趣，但并没有忽视陶瓷作为一种昂贵和常规材料的价值。

伊娃·史翠克·蔡塞尔[Eva Stricker Zeisel]是20世纪最著名的工业设计师之一，她最成熟的作品完成于"二战"之后，她在20世纪30年代为施兰贝格·马略尔卡陶瓷公司[Schramberger Majolika Fabrik]设计的陶瓷包含了一些现代主义风格的几何母题。整个20世纪30年代，她在柏林为克里斯汀·卡滕[Christian Carten]，在苏联为罗曼诺思索瓦陶瓷公司[Lomanossova Porcelain]和道烈沃陶瓷公司[Doulevo Ceramics]，在美国为贝里奇[Bay Ridge Specialty]和韦沃塞德陶瓷[Riverside China]设计作品，这些设计展现出某种柔化的几何图案风格。

在英国，基斯·穆雷为韦奇伍德陶瓷公司设计的陶瓷极具先锋性。他原本是位建筑师，1933年加入斯塔福德郡布莱利山的史提文斯·威廉姆斯公司并为其设计现代主义风格玻璃产品。他设计了独创的造型，用独特的旋转和齿状图案进行装饰，釉上则有各种有趣的纹理。他的作品主要以黑色玄武岩、青瓷、光滑的月长石的质感（1933），以及哑光绿的釉料和麦秆进行装饰。

美国人对开发批量生产的陶瓷的销售潜力起到了非常重要的作用。其中成就最高、最畅销的当属弗雷德里希·H.雷德[Frederick H.Rhead]为荷马·拉夫林公司[Homer Laughin Company]设计的"嘉年华"[Fiesta]餐具。雷德于1927年成为拉夫林公司的艺术总监。雷德是来自斯塔福德郡的移民，旨在设计高质量陶瓷的批量生产线，不受衍生装饰的限制，用以吸引美国富裕的中产阶级的购买力。"嘉年华"餐具于1936年进入美国，其简洁的几何形被赋予五种明亮的色彩。其生产线获得了空前成功，持续生产了30多年，协助促进了工业设计的革命。通过

"嘉年华"餐具，陶瓷产业开始意识到美国消费者已做好准备迎接现代主义的到来。

拉塞尔·赖特的理念对公众对于"好设计"的理解产生了深远的影响（图119）。他于1937年设想的"美国现代"晚宴用具于1939年由斯托本维尔陶瓷公司[Steubenville Pottery]引进，并由贝莫[Baymor]销售至1959年。他设计的生物形态的造型和柔和的颜色预示着"二战"之后的有机设计的产生。"好设计"[good design]理论在逻辑上得到了延伸，通过这一拓展，赖特的"美国现代"[American Modern]扩展为一个规模更大的名为"美国式"[American Way]的装饰品设计项目。尽管"美国式"因战争期间的限制而变得枯燥乏味，但在20年间有超过8000万件赖特的陶瓷被创作和烧制出来。

第七章 | 雕塑

　　欧洲装饰艺术运动时期的雕塑可大致分为两大类：一类是由国内艺术出版社［éditeurs d'art］或铸造厂委托的、以装饰性作品为主的商业性大件雕塑；另一类是由先锋雕塑艺术家创作的、独一无二的或小件的作品，这是一个难以区分"纯艺术"［fine art］与"应用艺术"［applied art］之间的灰色地带。

装饰艺术运动风格的商业雕塑

　　这类雕塑包括各种材料的创作，如青铜、金属、混合材料，尤其是青铜与象牙。这些通常是较小尺寸的雕塑一般放置在金属支架上或闺房中，与陶瓷制的、塞夫尔白瓷［Biscuit de Sèvres］制的或赤土制的小雕像起到同样的功能，都被用作18世纪精美的室内装饰。因为这些雕塑是纯粹的装饰品，所以它们一般在珠宝店或百货商店而非艺术画廊销售。

　　尽管这类雕塑用于商业用途，但制作精美，许多作品今天仍然具有巨大的时代魅力，比任何作品都更具有装饰艺术运动时期的特征，更严肃、认真。

　　由克里斯里凡亭技法［Chryselephantine］，即一种以金和象牙制作雕塑的技法，或青铜和象牙制成的雕塑类型达到了装饰艺术时期商业雕塑水平的顶峰。克里斯里凡亭雕塑师主要工作于巴黎和柏林，这两个地方的风格差异巨大：在巴黎，主要以时尚和戏剧为主题；在德国，主要以运动和古典主题为主。单词"Chryselephantine"源自希腊，意指古

120

典雕塑中金和象牙的互相包裹或叠加的技法。18世纪后期，比利时政府从其殖民地刚果进口象牙，并推广使用这种材料。在1894年安特卫普国际博览会与1897年比利时布鲁塞尔博览会上，一群雕塑家把象牙作为他们主要或唯一的创作材料。直到19世纪初期，"Chryselephantine"才开始涵盖被所有象牙与其他任何材料的结合物，诸如与青铜、木头、水晶以及青金石。

出生于罗马尼亚、生活于巴黎的德米特里·齐巴鲁斯[Demêtre

Chiparus]被认为是装饰艺术运动克里斯里凡亭技法雕塑的大师，他在巴黎制作了大量的青铜象牙小雕像和群雕。齐巴鲁斯把当时社会中的偶像选作其创作的主题，为今天装饰艺术运动的藏家们真实地记录了当时的流行趋势，作品题材从依达·鲁本斯坦[Ida Rubenstein]、俄罗斯芭蕾舞团舞蹈家瓦斯拉夫·尼金斯基[Vaslav Nijinsky]到"桃丽姐妹"[The Dolly Sisters]，再到歌舞团的舞者（女孩们[The Girls]）。齐巴鲁斯许多类似的作品反映了他对巴黎和东方的兴趣，如莱昂·巴克斯特[Léon Bakst]的戏服，保罗·波烈设计的服装，还有夜总会和新爵士时代的疯狂舞蹈均可在他的雕塑中见到。

相较于象牙雕刻的技法，齐巴鲁斯更擅长的是把象牙雕像上的青铜服装表面处理如同珠宝一般。他选择象牙来制作四肢与面部，并小心翼翼地根据象牙的自然纹路进行选择和创作，以达到逼真的效果。这种对于细节的关注同样体现在青铜材料的使用上。服饰的细节，如紧身胸衣和袜子的装饰花边清晰而明确。小雕像被安置在基座上，而基座的造型则成为整体构图的一个部分。有些小雕像会被镶入与之主题呼应的金属浮雕版[plaquettes]中。

如果这些雕像仍然存在的话，也是十分罕见的，虽然是更大的体量、更精致的做工，但这些雕塑的样式却是有限的。齐巴鲁斯和他同时代雕塑家的雕像均由铸造厂和加工厂制作。巴黎埃特林公司[The house of Etling]因为制作齐巴鲁斯早期的作品而闻名，而LN·JL铸造厂则制作他晚期的作品。模型一般制作两个或两个以上的尺寸，利用不同的材料，以适应不同的需求。20世纪20年代晚期，象牙比青铜便宜，所以更多的是使用象牙制作模型，越便宜的材料，越可能被制作成型。

120. 德米特里·齐巴鲁斯：镀金青铜、冷涂工艺[cold-painted，一种装饰艺术运动时期流行的工艺，在铜像上覆盖珐琅颜料]、象牙，拿着大礼帽和手杖的舞蹈演员雕像，约1925年。

121. 亚历山大·凯利提：《现代美杜莎》，黑色大理石基座上的青铜头像，20世纪20年代晚期。
122. 皮埃尔·勒·法盖斯：《女骑手》，镀银、冷涂工艺、青铜和象牙组雕，约1926年。

　　作为用青铜和象牙进行创作的最重要的雕塑家，齐巴鲁斯极少使用次等的材料进行创作。比利时雕刻家克莱尔·詹尼·罗伯特·科里涅特[Claire Jeanne Roberte Colinet]曾一度活跃于巴黎，他的风格和主题与齐巴鲁斯非常相似，也只使用昂贵的材料进行创作。不同于齐巴鲁斯的是，其雕像的服装和皱褶表现得更为流畅。他喜欢雕刻异国他乡的人物和舞蹈演员，如埃及、墨西哥、俄罗斯等国。

　　设计上无可挑剔的要数亚历山大·凯利提[Alexandre Kéléty]的作品（图1、图121）。他主要用青铜塑造小尺寸的雕刻模型，并用不常见的技术进行创作，如金属镶嵌工艺[damascening]，贵金属被雕刻成装饰样式镶嵌在青铜的表面（或金属胎体），譬如，花朵被镶嵌在礼服的边缘。莫里斯·吉拉德·里维尔[Maurice Guiraud-Riviere]和马塞尔·波林[Marcel Bouraine]用青铜和象牙或仅单独使用金属进行创作。艾特林公司甄选出了这些艺术家们较好的作品，并垄断了整个装饰艺术雕刻的高端市场。

雕刻家马克斯·勒·维里尔[Max Le Verrier]善于甄选各种小工艺品，雇佣著名的雕刻家及设计师用廉价的材料创作装饰品，如以廉价的材料或合金制作烟灰缸、挡书板、香炉。这些物品均在他位于剧院路100号的商店销售。为勒·维拉工作的设计师包括费罗[Fayral]、简[Janle]、劳伦特[Laurent]、德伦尼[Derenne]、马塞尔·波林、皮埃尔·勒·法盖斯[Pierre le Faguays]、查尔斯[Charles]、圭比[Guerbe]。有几位艺术家，如波林还同时为勒·维拉和埃特林公司制作样本。

在柏林，费迪南德·普列斯[Ferdinand Preiss]于1906年成立普列

123. 费迪南德·普列斯：《春之觉醒》，
冷涂工艺、青铜和象牙，约1925年。
124. 皮埃尔·勒·法盖斯：《牧神和女
神》，大理石基座青铜雕像，1924年。

斯-卡塞尔公司［Preiss-Kassler］，主要从事青铜和象牙雕塑的制作。普
列斯自己设计了公司制作生产的大部分雕像。他早期小尺寸的作品以古
典人物为主。公司于第一次世界大战期间关闭，于1919年重新营业，之
后公司的风格开始从古典人物转向表现当下的孩子、杂技演员、舞蹈演
员以及运动员，而这些正是现在最为人们所熟知的作品。这些雕像与同
时期法国的其他作品一样，经常表现戏剧与运动领域的名人，如普列斯
设计的一位高举着棕色玻璃沙滩球的舞蹈演员是艾达·梅［Ada May］，
她是C. B. 科克伦爵士［C.B. Cochran］"轻于空气"［Lighter Than Air］
音乐剧的成员。同样，许多运动员雕像取材自奥林匹克明星，如滑冰运
动员索妮娅·海涅［Sonia Henie］。

在众多艺术家中，保罗·菲利普［Paul Philippe］、奥托·菠茨
［Otto Poertzel］教授、R. W. 朗格［R. W. Lange］、哈德斯［Harders］，
以及前卫艺术家鲁道夫·贝林［Rudolf Belling］为普列斯-卡塞尔公司制

作雕像。他们的作品风格与普列斯-卡塞尔公司现存的作品非常相似，几乎无法分辨。尤其是菠茨的作品，例如，他的雕像"贵族"[The Aristocrats]和"蝴蝶舞蹈员"[Butterfly Dancers]同时带有他自己和卡塞尔公司的签名。尽管这两个签名有点小区别，但非常微小，直到最近人们才确定卡塞尔和菠茨其实是同一个人。

　　与齐巴鲁斯主要专注于青铜人物的姿态以及复杂的表面处理工艺不同，柏林的制作者们更为关注象牙雕刻的品质。雕刻者几乎把改编自阿希尔·科拉[Achille Colla]的人物上的象牙细节一模一样地放大复制，甚至人物的脸部表情和手指的角度也被复制下来。人物像七巧板一样被拼接串联在中央的芯杆上。法国的雕刻技法则是，在青铜表面进行镂雕，然后用冷涂进行着色，尽管如此，镂雕工艺在普列斯的雕像的服装上的使用频率远不及用金属漆进行冷涂的频率，他往往利用阴影来加强其纵深效果。象牙雕像的脸部刻画得非常自然，头发通常会着色。1931年到1936年期间，这些青铜以及象牙小雕像最受欢迎。

奥地利，尤其是维也纳发展了自己的青铜和象牙小雕像风格，小雕像的装饰结合了法国戏剧人物的姿态与德国雕像的尺寸以及青铜表面柔和的处理方式。维也纳艺术家如K. 洛伦佐[K. Lorenzl]、格尔达贡[Gerdago]以及施密特卡塞尔[Schmidtcassel] 的作品最具代表性。

奥地利雕刻家布鲁诺·扎赫[Bruno Zach] 在此期间也非常活跃。尽管他那来自风流社会[demi-monde]的卡巴莱歌舞表演的性感女孩和舞蹈员们由于戏谑式的幽默以及复杂的风格而变得十分柔和，但他的作品比同代艺术家的作品更开放迷人。他那穿着皮衣套装的抽烟的女人由于在头发上加了许多蝴蝶结而增添了一种少女般的气质。其他的例如穿着连体内衣和吊带袜、拿着鞭子的女人们则表现出机智的轻松感。扎赫同时也制作滑冰运动员、滑雪运动员以及芭蕾舞女演员的雕像。

奥地利出产的许多青铜装饰均来自维也纳的阿根特[Argentor] 和柏曼[Bergman]铸造厂。然而，这个时期最重要的奥地利加工制造厂是佛立德里希·戈德沙依德[Friedrich Goldscheider]，它制作了许多色彩斑斓的石膏像，还有由雕刻家扎赫和洛伦佐设计的青铜与象牙舞蹈演员雕像的陶瓷版本。尤其是洛伦佐，他为戈德沙依德设计了大量的作品。

1892年戈德沙依德在巴黎成立分公司，加工和销售青铜、石雕、赤土雕塑。青铜雕塑在公司的内部制作。尽管奥地利的总公司被迫于第一次世界大战之后关闭，但巴黎分公司在阿瑟·戈德沙依德[Arthur Goldscheider] 的领导下，于战后幸存下来，并发展出了相当有价值的艺术制作风格。

阿瑟·戈德沙依德获得授权在1925年巴黎博览会上建立自己的展厅。公司制做了一部做出贡献的艺术家的花名册，如《装饰艺术设计名人谱》[Who's Who of Art Deco design]。参展艺术家被分成两组：雕塑以"石碑"[*La Stèle*]的总称进行展览，其他艺术作品如玻璃、装饰品则列以"进化"[*L' Evolution*]的总称进行展览。其中，雕刻师马克斯·布列汉、波林、费尔南德·戴维[Fernand David]、皮埃尔·勒·法盖斯、劳尔·拉穆尔德迪厄[Raoul Lamourdedieu]、皮埃尔·勒努瓦[Pierre Lenoir]、查尔斯·马斐[Charles Malfray]、皮埃尔·卓威尔斯[Pierre Traverse]和马蒂尔兄弟[Martel brothers]在"石碑"总称下，而艺术家如让·沃斯耐德[Jean Verschneider]则两组都有。

戈德沙依德最经典、最成功的雕像作品是勒·法盖伊[Le Faguay]创作的"好色森林之神追逐性感仙女"的组雕。少女那一缕缕Z字型的头发与其头部几乎形成直角角度，这种二维的，几乎是埃及雕像的姿势成为装饰艺术运动时期的标记。

装饰艺术运动先锋雕塑艺术家

20世纪10年代，先锋雕刻师意识到他们处于"纯"[fine]艺术与"应用"[applied]艺术的中间地带。这个不明晰的身份问题，使得现代艺术在当时并不受欢迎，只有一小部分赞助人和鉴赏家予以支持。由于这个原因，这些雕刻师们总是太贫穷以致他们没有钱制作青铜模型，他们的作品基本上都用石膏、赤土、木头以及石头进行制作，作品经常是独件，这一限制使他们无法获得制作青铜雕塑所带来的收入和认可度。

第一次世界大战时，现代主义雕刻师打破了维多利亚时期的浪漫主义与自然主义传统。这些雕刻师的作品生动地混合了来自绘画原始主义运动[parent movement]的三维抽象风格，在这些作品中有棱角的，切面效果的和简洁的平面装饰占主导地位。在巴黎，许多先锋

雕刻师的作品在莱昂斯·罗森伯格[Leonce Rosenberg]的现代奋力画廊[L' Effort Moderne]展出。今天，我们很难把这些雕刻师的作品进行简单分类。有些作品融合了当时的先锋绘画，例如，阿基彭库[Archipenko]、布兰库斯[Brancusi]、莫蒂里安尼[Modigliani]、劳伦斯[Laurens]等人的作品。而其他人的作品，如米克罗斯[Miklos]、卡萨基[Csaky]、加尔文[Chauvin]等人的作品则逐渐被看作"装饰性"[decorative]雕塑，更符合这一时期的装修风格。但这种区分经常很武断。

1907年，古斯塔夫·米克罗斯[Gustav Miklos]在从布达佩斯搬到巴黎的两年前，他的风格开始向现代主义风格发展。今天，他作为装饰艺术风格的主要雕刻师而为人所熟悉。1923年左右，在他决定以雕塑作

125. 让和祖尔·特尔：赤土雕塑，20世纪20年代晚期。
126. 简与约尔·马蒂尔：《音乐锯演奏者》（音乐锯：一种用作乐器的手锯），金属片，20世纪20年代晚期。

为其最主要的艺术表现形式前，他尝试过许多其他的艺术形式，如金银细工（贵金属）、珐琅镶嵌品、地毯以及珠宝。在1925年巴黎博览会上，他展出一对色彩斑斓的木头圆柱纪念牌，至1928年，皇家大道的文艺复兴画廊[Galeric de la Renaissance]举办了他的唯一一次个展。

从他简化的作品块面及细节上可看出，米克罗斯受到了立体主义和构成主义的影响。他所表现的土著部落女性头像以及鸟的头部尤其具有说服力，不管是高贵还是性感都在雕塑拉长浑圆的特征中得以展现。他最爱的材料是闪长岩、青铜、木头以及黄铜，就像布兰库斯一样，米克罗斯经常把这些材料抛光得明亮而有光泽。

1908年，约瑟夫·卡萨基[Joseph Csaky]从布达佩斯搬到巴黎，几乎走上了布兰库斯四年前所走的道路。作为三维立体主义的先驱，卡萨基最初的先锋作品诞生于1911年（除了3件以外其余全部损坏或丢失了）。1914年，他自愿参军，于1919年回归到雕塑创作中，他选择了"莱热般"的构图，包括圆锥体、圆柱体、圆盘以及球形的元素。这些早期尝试追随着德兰、布兰库斯、阿基彭库、莫蒂里安尼进行直线形雕塑的创作，并且在一块单独的材料上制模。由于青铜铸造模型过于昂贵，这些作品经常用塑料或纸胶混合物[Papier-mâché]制作成单独的雕塑。

20世纪20年代，卡萨基屡次改变他的现代主义风格。1921年，他创作了省略了一部分特征的垂直姿势半胸像，还有杰出人物的雕像组合。细节并没有被丢弃，而是被分解成有角的面，抬高和下垂的手臂使得构图非常平衡。1928年，卡萨基的人物风格变得更加具有表现主义形式，雕塑形式从直线型转向饱满型。

1911年，兰伯特·鲁奇从波兰搬到巴黎，并和米克罗斯一起在皇家邵米尔大街开办了一间工作室。兰伯特·鲁奇有一度非常贫穷，他利用廉价材料进行雕塑创作，有时会将木头、各种颜色的赤土、灰泥和马

127

赛克玻璃奇特的组合使用。在他为让·杜南德所作的绘画以及饰板中，他的雕塑在选用的题材方面具有非常明显的个人风格，如经常雕刻戴着高顶大圆礼帽的剧院观众以及他们的随从在巴黎的蒙巴纳斯和蒙马特尔波西米亚广场的剪影。其余他最爱的主题包括祭祀乐器、非洲面具和现代主义风格的动物造型，其创作具有一种奇妙而又诙谐的气质。

珍和约尔·马特尔的风格与卡萨基的风格非常相似，大胆的立体主义形象经常用钢筋混凝土、大理石、水泥、陶瓷以及花岗石板进行雕刻。马特尔一家从事雕刻室外纪念性雕塑，他们接受1925年博览会的委托，制作了几件重要的雕塑；其中最为著名的是为一座花园所雕刻的、由罗伯特·马莱-史提文斯设计、用混凝土制作而成的立体主义树林系列，还有为协和广场[Porte de la Concorde]和马莱-史提文斯旅游陈列馆[Mallet-Stevens's Pavillon du Tourisme]制作的浅浮雕。

另一位受到立体主义影响的是雕刻师奥西普·扎德金[Ossip

Zadkine]，其很少有作品流传下来。他最喜爱的主题是音乐家，如手风琴演奏者，以及家畜。夏纳·奥鲁夫[Chana Orloff]某些作品的风格与扎德金的颇为相似，他创作的系列抽象人物与动物雕刻像极了扎德金的作品风格，并显示出他在1925年之后不断受到机器制作的影响。

雕塑家让·加布里埃尔·加尔文[Jean Gabriel Chauvin]的作品基本上是装饰艺术风格。他将大部分的作品简化到纯粹的抽象形式，尽管有些作品棱角并不分明，但其简化程度与阿普[Arp]和布兰库斯十分相近。

贝拉·佛伦斯[Bela Voros]最初以他那大胆而略带抽象表现手法的青铜和花岗石鸽子和音乐家群雕而被今天的人们所熟知。他那些形式简洁的变形人体显示出他轻微的受到立体主义的影响。同时，他受到非洲部落以及原始主义的影响也非常明显。

继安东尼-路易斯·拜耶[Antoine-Louis Barye]、皮埃尔-让·梅尼[Pierre-Jean Mêne]以及艾曼纽·法米尔特[Emmanuel Frémiet]等诸多杰出先辈之后，装饰艺术风格的动物题材雕刻家采纳了由伦布朗特·布伽缇[Rembrandt Bugatti]、保罗·佐菲于20世纪10年代带来的变化。尽管其造型是基于动物园的写生，但布伽缇和保罗·佐菲更喜欢凭印象描绘动物，通过捏、刮泥坯，留下手指的印记而达到他们想要的效果。皮毛和羽毛被普遍认为更具19世纪的自然主义意蕴，而并非是完全的复制。

20世纪20年代，以动物为主题的雕刻家形成自己的风格，减少清晰的细节或去掉全部细节，出现了流线型和风格化的形状以及表面为浅浮雕的形象。动物的特征仅在整体形式中示意性的进行雕刻。

弗朗索瓦·蓬朋[François Pompon]是这个时代最著名的动物题材雕刻家。他成名得非常晚，第一次获得成功是在1922年秋季沙龙上，当

127. 爱德华·马塞尔·桑德斯：《秃鹰》，黑色比利时大理石，约1930年。

时他已经60多岁了。作为罗丹的学生，蓬朋最初主要以雕刻室外纪念性
雕塑为主。他尝试以较长时间的观察以获得更为整体的印象，而非瞬间
的印象进行创作，雕刻流线型的样式，强调基础造型，经常高度抛光以
捕捉光影效果。另一位著名的动物雕刻家爱德华·桑德斯以灵巧又诙谐
的形式雕刻野生以及家养的鸟类、鱼和动物。这种动物面部拟人化的表
现形式使得每一只动物都具有非常鲜明的性格特征。保罗·佐菲也是位
成功的雕刻家，他喜欢利用浅浮雕表现动物，使人联想起亚述的早期作
品。

美国

在美国，大众接受装饰艺术运动风格雕塑的过程很迟缓。这主
要是由于19世纪晚期的传统学院派艺术的长时间流行，尤其是奥古斯
都·圣-高登［Augustus Saint-Gaudens］和弗雷德里克·威廉·麦莫尼
斯［Frederick William MacMonnies］的作品，同时也由于装饰艺术运动
风格仅仅是先锋艺术运动中由移民雕刻家引领的其中一项运动而已，

129

它同时出现于20世纪10至30年代的美国的纯艺术领域。那些年来到美国的天才雕刻家们，都希望20世纪先锋艺术能够给予他们此前在欧洲家乡得到的同样程度的包容。这些雕刻家包括来自法国的加斯顿·拉雪兹[Gaston Lachaise]和罗伯特·劳伦特[Robert Laurent]，来自俄罗斯的威廉·佐拉奇[William Zorach]、博瑞斯·拉维特-洛斯奇[Boris Lovet-Lorski]、亚历山大·阿基彭库[Alexander Archipenko]，来自波兰的伊利·奈德曼[Elie Nadelman]，来自德国的威廉·亨特·迪德里希以及17岁的卡尔·保罗·詹尼文[Carl Paul Jennewein]，来自瑞典的卡尔·米勒斯[Carl Milles]，来自南斯拉夫的伊凡·梅斯淖维克[Ivan

128. 哈利特 W. 弗里希慕斯：《速度》，散热器盖子，戈朗姆公司制作，电镀铜，约1925年。
129. 博瑞斯·拉维特·洛斯奇：《节奏》，比利时黑色大理石，20世纪20年代晚期（赫希尔·阿德勒画廊收藏，纽约）。

130

130. 博瑞斯·拉维特·洛斯奇：年轻女孩胸像，白色大理石，约1927年。
131. 卡尔·保罗·詹尼文：《丘比特与鹤》，青铜，1924年（纽瓦克博物馆收藏，菲利克斯·福尔德夫妇赠礼，1927年）。**132**. 卡尔·保罗·詹尼文：《水》，司法大厦"四个元素"的其中一个雕像的石膏习作，华盛顿，1932—1934年。

Mestrovic]。同时，美国年轻的精英雕刻家们则跨越大西洋来到欧洲完成他们的艺术训练。

然而，美国对现代主义的抵抗根深蒂固，其公众与学院派人士一样保守。绘画并没有准备好迎接先锋运动，仅有雕塑单独加入。为了回应公众对于1893年芝加哥哥伦比亚博览会[Columbian Exposition in Chicago]室外纪念碑式雕塑的热情，国家雕塑学会成立[National Sculpture Society]，并一如既往地展示最为保守的美国雕塑。取材自古典艺术的人物雕像，仍然是表达的主要方式。事实上，1913年著名的军械库展览并没有对雕塑产生更大的刺激，却给美国当代绘画带来了决定性的影响。"形式独立于内容而存在，可以纯粹地表现美学或个人观念，而无关于要再现的事物"作为信条在绘画领域的发展的要远远快于在雕塑领域。美国传统雕塑并未准备好面对来自1910年的抽象现代主义艺术：立体主义、构成主义、未来主义、机械美学、法国装饰艺术运动。

当地的雕刻家尝试探索现代主义的表现形式，但经常由于国家雕塑学会仍然继续掌控和分配着重要的公共项目、奖学金、奖金以及职

131

132

位而频频受阻。雕刻家开始转向为私人顾客服务，对于他们来说，这能更自由地在形式、技术以及表现方式上进行实验。花园雕塑，尤其是动物雕塑为雕塑家提供了一个重要的、介于现代主义和顾客之间的中间地带，因为动物的抽象形式比起人物的变形更容易让大部分顾客接受。对这类雕塑的不断需求加强了这一类艺术家们的紧密联系，他们中的许多女性艺术家不断受到传统学院派的非难。现实主义的表现形式仍然是重点，但经过与欧洲先锋艺术家的合作，这些形象如今变得更加率性并带点诙谐：常用当代手法，偶尔也用装饰艺术运动风格诠释重复的图案、流线型形式以及神话题材。哈利特·惠特尼·费旭慕斯[Harriet Whitney Frishmuth]、艾迪斯·巴烈图·帕森[Edith Baretto Parson]、珍妮特·斯库德[Janet Scudder]、爱德华·麦卡滕[Edward McCarten]、威勒·威廉[Wheeler Williams]和约翰·格雷戈里[John Gregory]因这类过渡性雕塑而出名。

如前所述，动物主题——鹭、鹳、食蚁兽等，成为花园雕塑的自

133

然装饰主题。这些作品经常以装饰艺术的风格进行表现，棱角分明的轮廓及特征。艺术家如欧仁尼娅·夏诺德[Eugenie Shonnard]、阿尔伯特·莱斯利[Albert Laessle]以及科妮莉亚·查宾[Cornelia Chapin]制作了这一类型的雕塑中最具吸引力的典范。其他的艺术家诸如布鲁斯·摩尔[Bruce Moor]和海因茨·瓦奈科[Heinz Warneke]则创作出了高度个人化和严谨的现代主义风格作品。

20世纪20年代，三个因素共同促进了鲜明的20世纪美国雕塑风格的产生：欧洲先锋艺术家的到来；留学欧洲归国的美国年轻雕塑家，他们渴望用自己的方式诠释欧洲的先锋艺术（往往保守而又十分谨慎的）；新建筑形式的发展：摩天大楼形式的衰落。

无论怎样强调欧洲移民的先锋雕塑家对美国现代主义雕塑的影响都是不过分的。只有拉维特-洛斯奇和亨特·迪德里希坚持以装饰艺术运动风格进行创作，但他们都以不同的方式影响和鼓励年轻的艺术家。尤其是伊利·奈德曼，他惊人的天赋从"一战"后他踏入美国那一刻起就开始发挥主导性的影响，他那独特的、无法分类的先锋风格鼓励着许

134 135

多年轻的雕塑家放弃传统的训练。

　　奈德曼的许多作品超出了这本书的收录范围，但是一些作品使人联想到装饰艺术运动后期法国造型流畅，线条优美的现代主义。其他的移民雕塑家，如拉雪兹、罗伯特·劳伦特在20世纪20年代偶尔会制作那些更抽象和更先锋的杰作。人像和现实主义这些雕塑的传统表现方式仍然被那些艺术家所拥护，只是程度不同。而他们的视野则是新工业时代，他们寻求更为当代的符号来表现传统的内容，经常从早期画家的作品中寻求灵感，如毕加索和勃拉克。

　　在美国，没有任何雕塑家能像拉维特-洛斯奇［Lovet-Lorski］那样迅速而深刻的感知到巴黎盛行的装饰艺术运动的气氛，拉维特-洛斯奇于1920年从苏联搬到了纽约。他的风格正如他选择的材料那样，非常折

133. 加斯顿·拉雪兹：《海豚喷泉》，青铜，1924年（惠特尼美国艺术博物馆收藏，格特鲁德·范德比尔特·惠特尼赠礼）。
134、135. 左图与右图均为保罗·曼希普作品：左图《印第安人》，右图《叉角羚羊》，青铜，约1914年（佳士得提供图片，纽约）。

中主义，令人印象深刻的混合了现代主义、东方风格、原始部落特色、古代文化以及日耳曼人的影响。

迄今为止，他最新颖和有趣的作品是带有现代风格的创作。他的风格一开始有点生硬，但很快就变得熟练起来，但同时其形式是简约的，形式与团块的分布，是他所创作的女人体最大的优势，这种大胆的省略使得人物获得了自然的韵律与优雅。他创作的人体——头顶经常被省略——之所以能够传达出同样感觉的动作和能量，部分原因是面部特征和头发的简化形式以及流线型的效果。

威廉·亨特·迪德里希的雕塑显示出他对平面与轮廓同样的着迷，这在他的金属制品中尤其明显。他所创作的青铜圆雕里方形的四肢展现出明显的独特造型和个体内在的力量。

卡尔·保罗·詹尼文最初以古典风格的作品而闻名，他于1907年从德国前往美国，开始了他在纽约艺术学生联盟[Art Students League]的学习。1916年他获得罗马大奖并回到欧洲，进行为期四年的深造。《丘比特与蹬羚》[*Cupid and Gazelles*] 就是这一时期的作品，5年之后，他创作了受人喜爱的同系列作品《丘比特与鹤》[*Cupid and Crane*]。尽管这两件作品均带有些许装饰艺术风格，但直到1926年他从罗马回来，为费城艺术博物馆西翼山墙设计《希腊舞》[*Greek Dance*]，才真正创作出了令人喜爱的装饰艺术风格的经典作品。这件作品共铸了25件镀金青铜雕像，以及同等数量的银制雕像。在另一些同期的独立作品中，包括儿童和小动物主题的习作均体现出一种相似的亲和力与敏感性。

20世纪30年代，詹尼文继续靠古典雕塑的订单谋生，但他同时也雕刻了一些具有冲击力的现代主义作品。他最重要的作品是为洛克菲勒中心（1933）设计的英国帝国大厦的门厅；纽约（1937）第72街东19号建筑入口处迷人的现代主义中楣；代表了纽约1939年世界展览会的四

个元素的4个石塔。

　　加斯顿·拉雪兹最著名的作品要数他以妻子伊萨贝拉·尼格尔 [Isabel Nagel] 为模特创作的系列大型的丰满圆润的雕像。知名度稍低一些的是半身雕像和动物群雕，他整个创作生涯中都在以市场更认可、更流行的风格创作此类作品。1924年他为格特鲁德·范德比尔特·惠特尼 [Gertrude Vandrbilt Whitney] 创作的印章雕像以及《海豚喷泉》 [*Dolphin Fountain*]，展示了他对这种风格的充分发挥。尤其是《海豚喷泉》充分展现了拉雪兹的敏锐与迷人：动物玩乐的天性和优雅都被精确地体现在身体的起伏流动中。

　　卡尔·米勒斯 [Carl Milles] 是一位大龄移民，于1931年57岁时移民美国。从他早期在瑞典到晚年任克兰布鲁克学院雕塑系主任，他变化

136. 西德尼·比勒尔·沃：《天堂》，石灰石，约瑟夫·盖拉蒂雕刻，布尔通俗科学天文学院（现为布尔科学中心），阿里盖尼广场，匹茨堡，1940年。**137**. 约翰·斯托斯：《空间形式》，铝、黄铜、铜以及木头，黑色大理石基座，约1924年（惠特尼艺术博物馆收藏，照片由罗伯特·舍尔科普夫提供）。

多端的风格贯穿了整个创作生涯。他运用充满活力的装饰艺术风格设计了赛顿·普尔学院的水池[Institute's Triton Pool]。在他古典主义的顶峰时期，他将些许现代主义元素融入到神话人物的创作当中，这使得他有别于同期的其他传统主义艺术家。

与青铜铸造相反，直接雕刻是现代主义雕塑家最坚定的技法信仰，也是雕塑的主要表达形式，现代主义雕塑家将它带到美国。比起其他材料，欧洲和美国的雕塑家都更喜欢使用青铜，因此对于直接雕刻的偏爱部分原因是作为对学院的传统的反抗，这种传统在20世纪20年代仍然直接限制了雕刻家的进步，经常需要通过个展来引人关注。罗伯特·劳伦特、威廉和玛格丽特·佐拉奇[Marguerite Zorach]、约瑟·德·科瑞福特[José de Creeft]、海因茨·瓦奈科、约翰·弗拉纳根[John Flannagan]、哈依姆·格罗斯[Chaim Gross]以及其他的雕刻家们提倡使用诸如石头、木头和雪花石膏等最原始的材料，艺术家参与整个创作过程，并通过材料本身获得灵感。几位直接雕刻家主张通过这种方式，可以直接开始创作，不要有先入为主的理念，在创作的过程中单纯的遵循自己的艺术直觉。

美国年轻艺术家们对于美国现代主义产生的深远影响仅次于移民雕刻家。按照传统他们在欧洲的罗马或巴黎接受训练。这两个中心城市所提供的艺术教育被广泛接受，尽管事实上它们的教育理念在根本上是不同的。直到20世纪20年代，罗马都在强调对古迹的学习，这不断地被认为是过时的教育方式，而巴黎则提供了生机盎然的学院传统教育，从巴黎国立高等美术学院到年度沙龙无一例外。最重要的是，法国教育系统对激进观念与激进表达越来越宽容。

从欧洲归国的年轻美国雕刻家中，保罗·曼希普学习的最为充分。他花了6年时间在意大利研习人物肖像以及希腊罗马式的雕塑，发展出一种演绎古迹的高度个人化风格，院士们认为这在创新同时又恰如其分地接续了美国的传统。他从罗马回来后——这时期他把印度和欧洲中世纪的影响融入到了他的古风雕塑上——随即获得成功。到了1925年，他是众多成名的美国雕刻装饰家中成就最突出的，也是在这个时期，他到进入了个人独特风格的最佳状态，这一时期的作品被视作装饰艺术运动风格的典范。20世纪30年代，他后期的作品包括1939年纽约世界博览会[1939 New York World's Fair]委托的"时代之感"[Moods of Time]和伍德罗·威尔逊日内瓦纪念馆[Woodrow Wilson Memorial in Geneva]委托的"天球"[Celestial Sphere]（1939），均展示了他更具流线型但又相当严谨的现代主义风格。

曼希普最受人喜爱的作品是位于布朗克斯纽约动物园[New York Zoological Park]主入口处的一对大门。这个大项目大约36英尺高，42英尺宽，是一对青铜大门，侧面的柱子和拱形顶被设计成风格化的树和树叶，其上停留着小鸟和动物。一头狮子趴在最中央的树上如同一个王冠，它下面是兽群，鸟类和动物栖息在树叶间。这些生物以最

传神的手法铸造出来，并被单独制作成独立雕塑。尤其是小鸟的造型诙谐，让人回想到法国动物题材大师爱德华·桑德斯的作品。

艾伦·克拉克[Alan Clark]在远东游学了3年，其作品透露出明显的异国风情。《贝达加》[Bedaja]以及《一个花园游泳池的习作》[Study for a Garden Pool]显示出他把东方风格和现代主义的影响结合得如此优雅。尤其是他把服装处理得十分雅致，褶皱被简化成曲线。

西德尼·比勒尔·沃的海外学习比起克拉克更为传统。他在埃米尔·布德尔[Emile Bourdelle]的指导下至巴黎学习了4年，随后获得了罗马大奖，这使他有机会继续深造3年。他回到家乡后，专注于建筑雕塑，例如他设计的华盛顿哥伦比亚特区联邦政府大楼的装饰。从1935年开始，他早期的古典主义风格被生机勃勃的当代风格所替代。沃的特色是根据人体的特点而雕刻出夸张的肌肉组织，同时将次要的细节简化为基础的几何元

素，如减少衣纹和背景的树叶。沃的风格展示出建筑浮雕的特殊效果，他运用深雕大胆地表现人的身体特征，这同时也适用于他的纪念碑群组圆雕，1939年纽约世界博览会上展示的《曼哈顿》[Manhattan]便是一个直接案例。

罗马大奖同样把艾德蒙·安美特斯[Edmond Amateis]带到了欧洲，但他带着明显的巴黎风格而非罗马风格回到纽约。回去后，他负责了几项重大的委托设计，包括布法罗历史学会[Buffalo Hitorical Society]、罗切斯特联合时代大楼[Rochester Times-Union Buildings]的建筑装饰。安美特斯和詹尼文一样能够熟练掌握历史风格和现代风格。他最为成功的现代设计案例包括为巴尔的摩战争纪念馆[Baltimore War Memorial]以及南卡罗来纳州布鲁克格林公园牧业集团所做的牧歌[pastoral]群像。

约翰·斯托斯[John Storrs]的风格在写实与抽象之间自由转换，他既画古典肖像也画20世纪各种抽象艺术风格的混合的主题：立体主义、法国现代主义以及机器美学。

20世纪20年代，斯托斯以在纽约丰臣画廊的个展开始了他的职业生涯。他在极具特色的高度抽象风格中不断探索，他将形式的简化推及到雕塑的平面与体积上。其中一个方法是继续他在表面上进行雕琢小块面的方法以获得毕加索、格瑞斯和劳伦斯式的立体主义光影效果；另一个方法是，减少块面以获得基本的几何构成要素；还有一个方法发展出了他的创作信条：建筑和雕塑是各自独立的。20世纪20年代，斯托斯创作了受到摩天大楼影响的与建筑有关的系列作品，包括《第一空间中的形式》[Forms in Spce No.1]、《形式习作》[Study in Forms]。伴随着他对建筑的兴趣以及他对工业艺术的着迷，有几件后来的作品以机器部件作为创作主题。1928年，斯托斯为芝加哥交易所大厦[Chicago Board of Trade Building]的顶楼设计了丰收女神[Ceres]。在他所有的作品中，这件作品最成功的捕捉到了现代主义精神。他把丰收女神的容貌变成了优雅的块面，30英尺高，并减少其容貌特征，使得观众即使从街上也能看到其身影。

　　斯托斯的作品是现代雕塑受到美国建筑影响的一个例子。摩天大楼的兴起给这位前卫雕刻家一个新的艺术工具。建筑师拒绝过于繁琐的传统装饰，要求新的形象与形式以适应正在兴起的新结构。雕塑与建筑的相互关系被分析，其功能和关联得到了讨论。过度保守被看作是问题的关键：雕塑的角色缓和了建筑分离的部分之间的刺目的连接方式。几位雕刻师用富有想象力的作品回应了这个问题，其中最有名的是雷奈·保罗·尚贝朗[René Paul Chambellan]、李·罗维[Lee Laurie]，他们通过为洛克菲勒中心设计的作品展示了机勃勃的现代主义风格。

第八章 | 绘画、插图、海报与装帧

绘画

　　两次世界大战之间的绘画可能很难界定是否属于装饰艺术运动的范畴。当时大部分的艺术家使用了大量先锋技法来解决设计和构图的传统问题。例如，几乎每一位现代主义艺术家都会运用立体主义或相关的抽象技法，或用野兽派的浓烈色彩。有些艺术家不在本书描述的范围之内，如莱热、马蒂斯、弗拉芒克[Vlaminck]、凡·东根，都时常会将装饰艺术风格的母题放到作品之中。

　　以上这些因素模糊了装饰艺术运动画家与非装饰艺术运动画家之间的界限。然而，关于画家个人是否属于装饰艺术运动有两个主要的判断标准。第一，大部分装饰艺术运动画家并非自身的创新，而是通过借用20世纪早期其他现代主义画家的主题进行创作。第二，他们的纸上作品是具有装饰性的，以适应当时流行的室内装饰风格。

　　让·杜帕斯是当时具有代表性的、名副其实的装饰艺术运动艺术家。他的许多架上绘画都在装饰艺术沙龙里展出，如秋季沙龙和装饰艺术家协会沙龙，这些往往不是纯粹的绘画沙龙。他们的作品说到底都是装饰性而非艺术性创作。

　　对于装饰艺术风格的爱好者来说，塔玛拉·德·兰碧卡[Tamara de Lempicka]的绘画代表了装饰艺术风格绘画的巅峰时期。她出生在离华沙非常近的塔玛拉·葛思卡市一个富裕的波兰家庭，在她十几岁时嫁给了俄罗斯人泰德罗·兰碧斯基[Thadeus Lemptzski]。为了避开俄国十月革命，夫妇俩于第一次世界大战即将结束之际逃到巴黎。20世纪20年代，由于被丈夫抛弃，德·兰碧卡重拾画笔，赚钱维持自己的生活以

138　　　　　　　　　　　　　　　　　　　　　　　　　139

及照顾女儿奇萨特[Kisette]。她曾经在朗森学院[Académie Ransom]学
习并师从塞尚的拥护者莫里斯·丹尼斯[Maurice Denis]和立体主义理
论家安德烈·洛特[André Lhote]。她发展出了高度独特的个人风格，
时而冷静又神秘，与流行的棱角分明的形式以及明亮的色彩形成对比。
20世纪20年代中期到第二次世界大战期间，德·兰碧卡创作了大约100
幅肖像作品。其中有许多作品是裸体肖像，还有几幅肖像的背景是纽约
摩天大楼。立体主义对她的影响非常明显，她使用明暗对照法凸显了这
种影响。她最好的作品中经常散发着性感的气息。

138. 让·兰伯特-鲁奇：《两位戴面具的杂技演员》，板上蛋彩，1936年。**139**. 让·杜帕
斯：《鹦鹉》[les perruches]，布面油画，鲁尔曼酒店大沙龙的收藏展，1925年巴黎国际
展，巴黎。

另一位同样是波兰移民的雕刻家是让·兰伯特-鲁奇，他于1911年搬到巴黎，同样采用立体主义风格，混合各种材料，如木头、金属、着色石膏和马赛克进行创作。他偏爱的创作主题包括非洲土著人和巴黎妓女，并经常以颇为诙谐且粗犷的手法进行表现。

波尔多市出现了几位著名的装饰艺术运动艺术家，包括让·杜帕斯、罗伯特·欧仁·普热翁[Robert Eugène Poughéon]、雷奈·布托、让·加布里埃尔·多梅尔格[Jean Gabriel Domergue]、拉斐尔·德拉摩[Raphael Delorme]，他们同样在纸上或者油画布上创作了大量具有装饰性的作品。尤其是杜帕斯逐渐形成了与众不同的抽象风格，通过拉长的模糊人物特征的表现手法精确地捕捉到当时的时代氛围。从1909年开始，杜帕斯就是沙龙展的常客，他还获得过罗马大奖。

普热翁在巴黎和波尔多的国立美术学校学习，他逐渐形成了抽象风格，被描绘对象的解剖结构被赋予了强健发达的肌肉及英雄式的比例。有些作品是典型的高度风格化的装饰艺术，有些作品是在自然主义的背景下描绘寓言人物。让·加布里埃尔是波尔多国立美术学校的学生，同时也是罗马大奖的获得者，他笔下那些吸引人的肖像画均取材于巴黎上流社会、剧院名人以及裸体人物。德拉摩或许是这个时期唯一一位完全不靠艺术谋生的艺术家（他的表妹莫达利尔[Mme Metalier]让他住进她在维拉斯尼斯的城堡），后来，他仅卖出了整个绘画生涯中的唯一一幅作品——为卡普塔拉邦的王公所作的作品。德拉摩融合新古典主义和现代主义的造型，他的构图虽然奇怪但是非常吸引人，许多作品采用建筑作为背景。正如杜帕斯一样，布托则采用了一种更为方便的创作媒介。他的绘画最初经常把草稿[cartoons]绘制在彩色玻璃窗和夹金玻璃画屏[Verre églomisé]上，如他为陶瓷设计的装饰那样融入温柔而感性的格调（图141）。

玛丽·洛朗桑的肖像画和植物构图接近装饰艺术风格（图15），

140

140. 塔玛拉·德·兰碧卡：亚里斯多夫王子肖像，布面油画，1925年（巴里·佛利德曼公司收藏）。**141**. 雷奈·布托：《女房客弗勒》，水粉画，1924年。

141

142

142. 路易斯·艾卡托：《泰爱斯》，彩色蚀刻铜版与针刻凹版，着色，约1927年。

如使用优雅和谐的女性化颜色作画。她与姐夫安德烈·古鲁特密切合作，为他年度沙龙中的室内装饰提供装饰用的绘画作品。索妮娅·德劳内和劳尔·杜菲早期作为纺织设计师创作的作品可被看作是装饰艺术运动风格，后期他作为画家，形成了更具有个性和难以分类的风格。

路易斯·艾卡托[Louis Icart]自学成为画家和版画家，他是其中一位较为出名的装饰艺术风格艺术家。1907年，他任职于巴黎一家明信片公司，第二年他自己成立了分公司。20世纪20年代，艾卡托创作了一套大型的石印和蚀刻版画，大部分作品都描绘与猎狼和贵宾犬在一起的无精打采的时髦年轻女性。过度的多愁善感使作品有时一不小心变得既俗气又非常商业化。他同时也画了许多类似主题的油画、水粉画以及色情画。

绘画和雕塑一样，有些画家于20世纪20年代采用了现代主义风格创作动物肖像。保罗·佐菲、雅克·南[Jacques Nam]和安德烈·玛格特[André Margat]是最早的动物题材画家。与19世纪的先辈德拉克洛瓦[Delacroix]、籍里科[Géricault]不同，20世纪初期，拜耶和罗萨·博纳尔[Rosa Bonheur]把动物画在了其自然栖息地中。而20世纪20年代的画家们则选择独立描绘动物，常将动物轮廓置于白色的背景中。尤其是猫科动物——豹、美洲豹，蛇和大象也很受欢迎，善于利用略显突兀相对细碎的笔触表现动物本身的力量和节奏。形式最为丰富的作品来自佐菲。他创作了大量动物题材的蚀刻版画、素描、水彩画、木刻以及油画。并经常与其他领域的艺术家合作，如与让·杜南德合作为远洋轮船创作的壁画《大西洋》[*L'Atlantique*]；与装帧师乔治斯·格瑞特[Georges Cretté]合作为书籍封面创作的浅浮雕饰板；与埃德加·布兰特合作为银行创作的青铜大门。

插图

1910至1914年的书籍和时尚杂志插画可预见第一次世界大战之后巴黎装饰艺术运动的平面设计风格。受到1909年到巴黎的佳吉列夫俄罗斯芭蕾舞剧和莱昂·巴克斯特亮丽的舞台和服装设计的启发，法国商业艺术家借用了同样欢快的色彩并混合了俄罗斯、波斯、东方的元素用于书籍插画、时尚样片以及剧院座椅的设计。女装设计师如保罗·波烈委托艺术家创作他最新的时装插图，为艺术家们提供了许多发挥的机会。第一次世界大战爆发期间，巴黎最重要的时尚杂志受到巴克斯特的影响，内页中主要以彩色丝印版画[pochoirs]和凹版蚀刻版画的设计为主：《高品位之旅》[*Gazette du Bon Ton*]、《插画》[*L'Illustration*]、《巴黎生活》[*La Vie Parisienne*]。尤其是《高品位之旅》雇佣了各式各样富有才华的商业艺术家，包括乔治·巴比尔[George Barbier]、

Jeanne Lanvin

143

143. 保罗·艾瑞伯：珍妮·朗文的标志，约1930年。144. 乔治·巴比尔：《大露背》时尚插画，1921。145. 乔治斯·勒帕普：《时尚》封面，1927年3月15日刊。

爱德华·加西亚·本尼托[Edouard Garcia Benito]、乔治斯·勒帕普[Georges Lepape]、罗伯特·邦菲斯、安倍托·布鲁内莱斯基[Umberto Brunelleschi]、查尔斯·马丁[Charles Martin]、安德烈·马蒂[André Marty]、贝纳德·布泰·德·蒙维尔[Benard Boutet de Monvel]以及皮埃尔·布里索[Pierre Brissaud]。这些艺术家结合18世纪法国童话故事的角色造型、特别的植物纹样[columbines]、扑粉假发以及裙衬来描绘穿着最新高级时装的年轻女性。从1920年开始，这些早期的性感少女忽然变成时髦的假小子[Garçonne]，娇媚、任性、运

144   145

动，还经常抽着香烟。

　　还有几位插画家特别值得一提，例如莱帕普、艾尔特[Erté]、巴贝尔，他们经常将丰富而又迷人的色彩融入平面设计风格中，为今天的读者提供法国首都现代时尚的精确记录，而他们的作品今天仍被认为完美符合了装饰艺术的风格。

　　在欧洲的其他地方，法国装饰艺术插画得到了零星而混杂的呼应。在德国，时尚杂志《女士》[*Die Dame*]效仿法国的做法，创作了流行风格的广告和插画，包括来自德国的插画家巴隆·汉斯·亨宁·福格特[Baron Hans Henning Voigt]的作品，他化名为阿拉斯泰尔[Alastair]并制作了许多受到埃德加·艾伦·波[Edgar Allan Poe]影响的令人难忘的作品。

　　20世纪20年代的下半叶，法国装饰艺术运动的插画风格传到了美国。它很快就发展成一种明显受到机器影响的现代主义风格。时尚杂志，如《时尚》[*Vogue*]和《名利场》[*Vanity Fair*]（两本杂志均为康德·纳斯[Conde Nasts]所有）、《时尚芭莎》[*Harper's Bazaar*]、《妇女家庭良友》[*Woman's Home Companion*]都包含法国风格的广告。编辑经常委托欧洲插画家如艾尔特、莱帕普和贝尼托为杂志做封面设计。其他的期刊，如《纽约客》[*The New Yorker*]、《财富》[*Fortune*]则倾向于使用更几何化和工业风格的设计，尤其是封面的设计。涉及这类风格的著名设计师有欧洲的移民约瑟夫·平德[Joseph Binder]、维拉蒂米尔·V.鲍勃瑞斯奇[Vladimir V. Bobrisky]，本土设计师分别有威廉·威尔斯[William Welsh]、约翰·海尔德[John Held]、乔治·波林[George Bolin]，他们随后也跟着效仿这类风格。在20世纪20年代，罗克韦尔·肯特追求轻装饰插画风格用于他的木刻书籍。美国早期现代主义书籍设计师约翰·瓦索斯[John Vasos]给他的封面创作过一款具有视觉冲击力的直线性设计。

海报

20世纪20年代的海报艺术吸取20世纪初丰富且广泛流行的传统元素，如图卢兹-劳特累克[Toulouse-Lautrec]、泰奥菲尔-亚历山大·斯坦伦[Théophile-Alexandre Steinlen]、朱尔斯·谢雷特[Jules Chéret]、阿尔丰斯·穆夏[Alphonse Mucha]的作品。作品风格从第一次世界大战前莱昂纳多·卡皮尔罗[Leonetto Cappiello]的流行风格过渡到几十年后卡桑德[Cassandre]严谨的几何设计风格。大部分设计师支持放弃1900年到1925年间流行的卡皮尔罗式的奇异的轮廓模糊的作品风格。例如，在巴黎，让·卡鲁[Jean Carlu]、查尔斯·卢波[Charles Loupot]、查尔斯·格什玛[Charles Gesmar]、保罗·科林[Paul Colin]使用一种明亮的、迷人的插画风格，这种风格可直接追溯至他们对世纪末颓废气氛的宽容。

20世纪20年代，商业艺术成为正式的职业，并催生了许多平面艺术家。1900年大量海报被用于宣传剧院活动：音乐会、滑稽歌舞杂剧

[burlesque]、卡巴莱歌舞表演。第一次世界大战之后，海报的用途更为广泛。现在海报可以作为旅游宣传、运动会、艺术展览的广告，如被用于巴黎大皇宫和加列拉博物馆[Museé Galiera]举办的年度沙龙展上。在德国和意大利，海报同时也成为法西斯主义者重要的宣传工具。

　　这时期经过改进的新一代加工技术生产了大量过剩产品，供大于求。充满活力的设计成为说服顾客购买特定产品的必要手段。巴黎无处不在的广告栏里张贴着各种海报，将信息传播到公众当中，成为主要的广告媒介，与收音机产生直接的竞争。具有视觉冲击力的符号和广告技巧开始受到追捧，海报设计简洁，其形象减少到只剩下必要的产品和品牌名。鲜明的线性构图刻画在平整的背景色上，迅速抓住观众的眼球。其他一些花招也有助于吸引观众的注意力，如鸟瞰视角和对角线透视法。海报的信息则用新的无衬线字体以流线型排列着。卡桑德指出："海报仅是一种手段，一种商人与公众的交流手段，有点像电报。某种程度上来说海报艺术家则扮演着电报员的角色；它并不发表信息，而只传输信息。"

　　装饰艺术运动的海报艺术家从各种各样的早期先锋绘画运动中获得灵感，尤其是立体主义和未来主义，并造就了强大的广告新工具。立体主义为其提供碎裂、抽象、重叠的形象与颜色。未来主义则使得新世纪专注于速度与力量，海报艺术家则聪明地将它们用于表现新时代巨轮和火车头。从荷兰风格派、结构主义运动到纯粹的线条、形式与颜色，通过一些从深奥的思想运动中借鉴而来的观念，海报艺术家不仅使其作品得到了更广泛的关注，而且使其作品得到了大部分民众的理解。

　　在巴黎，几位海报艺术家充满活力并带有创新精神的吸收了装饰艺术运动风格。如让·卡鲁展示出设计的多样性，从浪漫主义[*Têtes de Paris*]、立体主义[*Havana Larrãnaga*]，到以断续的线条勾勒出内容信息的极简主义形式[*Théâtre Pigalle*]。他曾以艺术总监的身份为法国航

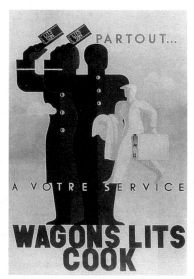

146. 乔治斯·法弗尔：贝加—格里隆，广告海报，1930年。

147. A.—M.卡桑德：《CIWL公司餐车》[wagons lits cook]，石版印刷海报，1933年。

空和蒙·萨翁[Mon Savon]设计海报，在那期间一直保持其最高水平。

　　瑞士出生的查尔斯·卢波定居于巴黎，为《伊人》[*Femina*]设计插画。他以年轻女性形象作为主题的色调明亮而魅力十足的海报作品，带有一种路易·艾卡托[Louis Icart]式的多愁善感。1930年，卡桑德邀请卢波参加平面设计联盟。他那引人注目的风格为卡桑德的明艳风格提供了相应的灵感。

　　剧院海报设计师查尔斯·格什玛早年的设计事业与蜜思婷瑰[Mistinguett]—20世纪20年代的音乐厅联系紧密，格什玛为蜜思婷瑰设计了饰有羽毛的服装、舞台布景以及剧目封套。他早逝于1928年，这位法国海报世界中最有天赋的年轻艺术家年仅28岁便陨落了，虽然他的风格只是部分的被海报艺术家"Zig"（即Louis·Gaudin）继承下来，但其效果仍然是绝对的令人享受与高水平。

　　出生于外省的保罗·科林于1913年定居法国的首都，他在绘画、

148. 雷奈·布托：装饰艺术沙龙海报，水粉与墨水，1931年（罗伯特·泽希尔收藏）。

海报、剧院服装和舞台设计等方向的技艺开始变得越来越精湛。他的名声来自他与约瑟芬·贝克[Josephine Baker]的长期合作，他们的合作始于1925年《黑色歌舞》[La Revue Nègre]海报，用于宣传贝克在香榭丽舍大街上的音乐厅的首场演出。科林的娱乐海报向来富有活力，其凌厉的风格则来源于1926年出现的机器的影响。

阿道夫·莫龙·卡桑德[Adolphe Mouron Cassandre]是这个时代最重要的海报设计师。他出生于乌克兰，在巴黎朱利安学院学习，他后来的工作涉猎广泛，从海报设计师到画家，从剧院设计师到印刷工人。但是在海报设计领域获得了最高的声誉。

卡桑德十分懂得如何驾驭海报，他明白将所有的次要信息移除会使核心信息更加突出，简化开始转化为几何形和机械元素之间有力的相互作用，并且成为辅助海报主导20世纪广告市场的工具。1925年的海报设计迅速获得成功之后，卡桑德的主要作品大量出现，他为巴黎《强硬派》[*L'Intransigeant*]报纸所设计的《不屈服的人》[*L'Intrans*]，把代表法兰西民主共和国的马里安[Marianne]描绘成一个向人民宣讲真理、有着桀骜不驯性格的年轻女性。他为国家铁路局设计的《北方列车》[*Nord Express*，1927]、《北方之星》[*Etoile de Nord*，1927]、《北部铁路》[*Chemin de Fer du Nord*，1929]，还有最著名的《诺曼底号》[*Normandie*，1935]，这些海报迅速成为经典作品。1930年，卡桑德与著名版画家莫里斯·莫兰德[Maurice Moyrand]一起成立了设计师联盟，但4年之后，莫兰德被杀害，随后联盟开始衰落并解散。从1936年开始，卡桑德几次到访美国，并为美国的《时尚芭莎》设计封面。

另一位著名的海报设计师是雷奈·文森特[René Vincent]，他放弃了在巴黎国立美术学院的建筑专业而转向插花艺术，并且在陶瓷方向有所涉猎。文森特为《巴黎生活》、《星期六晚报》[*Saturday Evening*]以及《插画》做设计，也为巴黎大型百货商店乐·蓬·马歇公司设计海报。他的构图以在玩高尔夫（如作品《莎拉布特高尔夫》[*Golf de Sarlabot*]）或转动手中太阳伞（如作品《乐·蓬·马歇百货》[*Au Bon Marché*]）的时髦少女为主，这种鲜明的图解式的风格通过对比强烈的大色块进行强调。

其他许多法国的画家和平面艺术家也陆续创作海报。如让·杜帕斯为萨克斯第五大道精品百货商店创作了一系列很受欢迎的广告，康斯特布尔[Canstable]等人设计的海报则几乎像油画一般。雷奈·布托把自己创作在粗陶上的甜美少女画到纸张上，一些少女形象被用于巴黎年度沙龙广告，一些寓言人物的形象则被用在波尔多市白葡萄酒工业的促销广告上。另一位多产的艺术家奥斯[Orsi]，他的名字出现在超过1000张装饰艺术运动风格的海报上，包括出现在约瑟芬·贝克在明星剧场[Théâtre de l'Etoile]的海报上，他的出现是一个谜。从时尚世界到剧院的舞台设计，乔治斯·勒帕普和娜塔莉亚·冈察洛娃[Natalia Goncharova]均以惯用的颜色和戏院风格设计海报，使人联想到巴黎作为世界娱乐之都的形象。

　　法国之外的海报艺术家不同程度地接受了装饰艺术运动的风格。在比利时，瑞士出生的里奥·马福特[Léo Marfurt]和烟草公司范·德·厄尔斯特[Van der Elst]进行了长达50年的合作，范德埃尔斯特[Van der Elst]也同样在这家公司效力，为公司设计广告内容、包装、海报等。1927年，马福特成立了自己的创意广告工作室[Les Créations Publicitaires]，这时期他创作了两幅著名的旅行海报杰作，《苏格兰飞人》[*Flying Scotsman*，1928]与《奥斯坦德海峡》[*Ostende-Douvres*，约1928]。前者由与强烈对比的色块组成的对角线

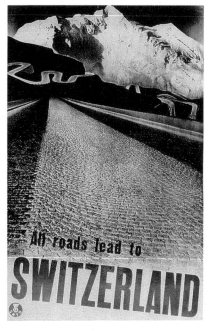

149

149. 赫尔伯特·马特：《条条大路通瑞士》，海报，1935年。

150. 爱德华·麦克奈特·考弗：《飞鸟》，石版印刷海报，《每日先驱》，1919年（帕特·凯利艺术公司提供图片）。**151**. 奥斯汀·库伯：《快乐假期，L.N.E.R.》[*Joliway to Holiday，L.N.E.R.*]（帕特·凯利艺术公司提供图片）。

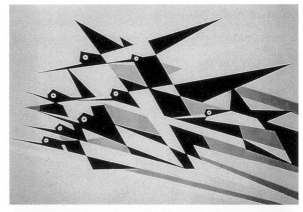

150

151

图形构成，暗示火车站的拥挤与喧嚣之感，这成为两次大战期间最受瞩目、最受欢迎的作品之一。雷奈·玛格丽特[René Magritte]在转向现实主义以前为杂志和广告做插画师，他在20世纪20年代中期创作了一些色彩鲜明的装饰艺术风格海报。两位低地国家的艺术家，威廉·弗雷德里克·滕·布洛克[Willem Frederik Ten Broek]和奇斯·凡·德·兰[Kees van der Laan]为荷兰航运公司设计了卡桑德式的现代主义风格作品。

在瑞士，奥托·鲍伯格[Otto Baumberger]、赫尔伯特·马特[Herbert Matter]以及奥托·莫拉克[Otto Morach]为PKZ时尚男装店设计海报，德国海报设计师路德维希·霍尔维恩[Ludwig Hohlwein]也参与其中。鲍伯格曾接受作为石印工[lithographer]与海报艺术家的训练，他主要的工作地点是苏黎世，他在那里协助筹建了瑞士平面设计学校[Swiss School of Graphic Design]。马特因其新颖的蒙太奇拍摄技术而出名，他把这种技法运用到旅游海报设计中，如《冬季联盟》[*Winterverein*，1934]和《条条大路通瑞士》[*All Roads Lead to Switzerland*，1935]（图149）。比起他在20年代创作的那些带压迫感的装饰艺术风格作品，他今天能够被我们所看到的大部分作品是极度浪漫与甜美的。

霍尔维恩是德国最多产、最受欢迎的海报艺术家。他偏爱用刚健、出众的雅利安男性形象来为商品代言，如《咖啡丛林》[*Kaffee Hag*，1913]、《香烟》[*Die Grathnohl-Zigarette*，1921]以及《啤酒》[*Herkulas-Bier*，约1925]，这在后来为他赢得了纳粹党大量设计宣传材料的委托订单。霍尔维恩的真正天赋在于用色方面，他经常把一些夸张的颜色出乎意料地放在一起。另外几位德国海报艺术家，如沃尔特·施耐肯伯格[Walter Schnachenberg]和约瑟夫·费纳特[Josef Fennecker]利用受到法国启发的、更为柔和的风格设计戏院和芭蕾舞演出的海报。设计师卢西安·伯纳德[Lucien Bernard]也设计过一系列具有粗犷形象的现代主义风格海报。

第一次世界大战之后，匈牙利人马塞尔·维特斯[Marcel Vertes]随即成为维也纳海报艺术的领军人物。1825年搬到巴黎后，除了出版了两卷本的石版印刷书籍《房子》[*Maisons*]和《舞蹈》[*Dancing*]之外，他偶尔也为服装设计师伊尔莎·斯奇佩尔莉[Elsa Schiaparelli]工作，后期他开始声名下滑。但不管怎么说，他设计的维也纳海报色彩丰富、明亮，具有明显的巴黎风格。

其他国家也出现了优秀的装饰艺术风格海报设计师，但数量不多。如意大利设计师马尔塞洛·杜多分奇[Marcello Dudovich]和马尔塞洛·尼佐里[Marcello Nizzoli]，波兰设计师马西耶·诺维奇[Maciej Nowichi]和斯坦尼斯拉瓦·桑德查[Stanislawa Sandecha]，英国设计师爱德华·麦克奈特·考弗[Edward McKnight Kauffer]、亚历山大·阿力克西夫[Alexander ALexeieff]、奥斯汀·库伯[Austin Cooper]、J. S. 安德森[J. S. Anderson]和格雷威斯[Greiwirth]。在美国，商业艺术家如约瑟夫·平德和维拉蒂米尔·V.鲍勃瑞兹基[Vladimir V. Bobritsky]均为移民，他们的设计富有活力和想象力，呈现出两次大战之间巴黎活跃的气氛。

装帧

自中世纪金泥装饰手抄本[hand-illuminated manuscripts]出现以来，还没有哪个时代的书籍装帧能像20世纪20年代这么富有创意。自从皮埃尔·勒格朗率先开始摆脱传统束缚，随后许多法国书籍装帧师利用过去的手工工艺制作现代主义设计作品。事实上，大部分关注书籍装帧的人并没有意识到书籍装帧曾经在工艺上获得非常高的成就。收藏与鉴赏书籍的世界是非常神秘的，在这个世界里一个专业门的藏书家群体相对秘密地委托书籍装帧师进行书籍装帧。第一次世界大战爆发期间，法国书籍的封面设计按传统均是用薄纸[flimsy]制作的（现在大部分仍是如此）。为了保存自己最喜爱的书卷，认真的收藏家们不得不请装帧师制作更耐用的封面。皮革向来是比较好的选择，装帧师用镀金压印植物纹样或阿拉伯花饰装饰皮革封面。封面的首要功能是保护文本，它本身

152   153

不被认为是艺术的表现。

　　皮埃尔·勒格朗因彻底地革新了这种艺术形式而获得了赞誉。自1914年其雇主保罗·艾瑞伯从巴黎搬到纽约之后，他就再也没有获得书籍装帧方面的赞助，这位年轻的设计师发现自从1917年他受伤退伍后，就很难确保订单如期完成。幸运的是，雅克·杜塞聘任了他，与皮埃尔和艾瑞伯一起重新装饰其早年间开办的位于博伊斯大道的帕提库列酒店[hôtel particulier]。1912年杜塞把他收藏的著名古董家具拿到拍卖行拍卖，同时把他藏有18世纪图书的图书馆捐给了巴黎大学，自己仅留下几本当代作家如盖德[Gide]和苏亚雷斯[Suarès]的藏书。皮埃尔受委托为这些当代藏书重新制作封面。由于没有经验，他通过大量的自学，把充满活力的现代主义装饰母题和材料融入他的设计当中，杜塞非常喜欢他

152. 罗斯·艾德：柯莱特书籍封套，1920年。153. 弗朗索瓦-路易斯·施米德：《公主布杜尔的故事》书籍封套，让·杜南德制作，镶嵌鸡蛋壳漆画，1926年。

的设计，委托他设计更多的书籍封面。

20世纪20年代早期，皮埃尔·勒格朗的才能受到了年度沙龙中其他藏家的关注，包括巴隆·罗伯特·德·罗斯柴尔德[Baron Robert de Rothschild]、巴隆·古尔戈[Baron Gourgaud]、亨利·德·蒙瑞森[Henri de Monbrison]，这些藏家最后都变成了皮埃尔的客户。忽然，皮埃尔·勒格朗作为家具设计师和室内设计师的身份开始受到关注，在他的带领和影响之下，书籍装帧的工艺也开始复苏。他摆脱传统工艺的束缚，自由地发挥自己的创意，并将当时只运用于先锋家具制造领域的材料引介到书籍装帧领域。当原本被用于传统工艺的异国情调的皮革与贴面被用于搜寻现代性时，书籍装帧实际上已经成为一种装饰艺术运动家具制作工艺的延伸。兽皮，譬如蛇皮，粗面皮革，羊皮纸开始属于基本材料（原本主要是摩洛哥皮革[Moroccan leather]）的范畴。其余还有各种各样的装饰方式，如色彩丰富的皮革拼贴，或镶嵌入金、银或白金薄片，或镀金压印，或表面压纹或着色。更进一步的装饰则可用雕刻或木材贴面制作装饰在封面上的饰板、漆金或银、搪瓷、青铜或象牙的浅浮雕进行装饰。珍珠母、软木片、玳瑁、圆形半宝石等也提供了更多的审美可能性。东方的书籍则由日本版画或裱有丝绸的硬纸板作为封面。唯一或限量版的书则搭配着布书套[chemise]或书封[étui]。作为有效的销售策略，皮埃尔·勒格朗等装帧师甚至为每一本书籍增加手工制作部分。总而言之，手工工艺完全复兴了。在1930年的一期《创意艺术》[Creative Art]中，装帧师乔治斯·格瑞特回忆了这种自第一次世界大战之后书籍装帧界的快速转变。

书籍收藏过去往往是属于某些出版商、艺术家、画家、版画家，神秘的装帧师等少数人群的特权，但自从战争之后，书籍收藏变得如此时髦，以至于人们不禁在想到底它还能流行多久……奢华的版本不计其

数，新的又不断涌现。古代或现代人创作的书籍，皆被精心印刷在世界
最好的纸张上，文本的插画由最好的艺术家绘制。这些书籍应该会持续
流行，这是一种符合逻辑的结果，而且这些书被设计得如此完美，它值
得穿上漂亮的外套。

　　一位装帧师会受到不同客户的委托而去装订同一本书的情况时有
发生，每一本书都配上他自己独一无二的设计。恩斯特·德·克鲁扎
特[Ernest de Crauzat]撰写了两卷本的《法兰西1900年到1925年的书
籍装订》[La Reliure française de 1900 à 1925]，讨论这一时期的书籍装
帧，举例来说，格瑞特绘制了《圣歌集》[Le Cantique des cantiques]的
三个不同的封面插图（全都装饰有由施密特设计，由杜南德髹漆的饰
板），其后施密特又单独设计了第四个封面。这个例子中的顾客全都是
著名的藏书家：新艺术珠宝家亨利·威尔[Henri Vever]、查尔斯·米克
[Charles Miquet]、A. 伯劳特[A. Bertraut]以及路易斯·巴尔都[Louis
Barthou]。其他著名的藏家还有乔治、纽约的佛罗伦斯·布鲁门萨尔
[Florence Blumenthal]，他们因赞助家具设计师阿曼德·雷图、卡洛
斯·R. 谢乐[Carlos R. Scherrer]等人而出名，其中保罗·博纳特[Paul
Bonet]在布宜诺斯艾利斯声名显著。市立图书馆和州立图书馆，诸如国
家图书馆[Bibliotheque Nationale]和圣·吉纳维芙[Sainte-Geneviève]
也会委托装帧师来保存或修葺重要的古书。

　　当封面设计必须包含正面、背面、书脊三个元素成为共识时，对
于顾客来说，花两年时间等待一本书籍的装帧完成是再正常不过的事
了，尤其是第一次世界大战之后。在以前，只有书封正面的设计被认为
是最重要的，而书脊的设计则比较次要。

　　除了皮埃尔·勒格朗，巴黎是众多重要的装帧师实现现代主义风
格的沃土。这些具代表性的装帧师中最重要的是杜塞·博提基[Doucet

Protégée]、罗斯·艾德[Rose Adler]、乔治斯·格瑞特（莫里斯·迈
克尔[Marius Michel]的继承者，被认为是最后一位伟大的传统装帧
师）、雷奈·基弗[René Kieffe]、乔治斯·卡纳普[Georges Canape]、
保罗·博纳特、弗朗索瓦—路易斯·施密特、卢西安、亨利·克鲁兹沃
尔特[Henri Creuzevault]以及罗伯特·邦菲斯。不太出名的有保罗·圭
尔[Paul Gruel]、安德烈·布鲁尔[André Bruel]、吉纳维芙·德·里
尔塔德[Geneviève de Léotard]、查尔斯·兰诺[Charles Lanoë]、
珍妮·朗格兰德[Jeanne Langrand]、伊爵[Yseux]、路易斯·杰曼
[Louise Germain]与杰曼·施罗德[Germaine Schroeder]，他们的作品
在许多案例上比得上那些比他们更为著名的同行。

　　巴黎一所名为罗伯特·艾蒂安学校[Paris's Ecole Robert-
Estienne]的技术学校专门从事艺术与工艺的书籍制作，即印刷、割
字、装订、凸版印刷等，该校充满热忱地投入到工艺的复兴当中。展览
方面，如1925年法兰西艺术书籍展[Arts du Livre Français]则提高了书
籍装帧的声誉和曝光度。

　　这种媒介的新时尚同时也吸引了插画艺术家。莫里斯·丹尼斯、
乔治·巴比尔、乔治·勒帕普和拉斐尔·德奥特[Raphael Drouart]都
为这个时代流行作家的著作设计书籍封面，这些作家包括：柯莱特、
阿纳托尔·法兰士[Anatole France]、吉洛姆·阿波利奈尔[Guillaume
Apollinaire]、让·科克托、安德烈·盖德[André Gide]以及奥斯
卡·王尔德[Oscar Wilde]（图154）。从艺术家转变为装饰家的安
德烈·梅尔在其为罗伯特·德·罗斯柴尔德的书籍《魏尔伦的爱》
[Verlanine's Amour]设计的封面中将一对斑鸠画在一块加工过的羊皮
纸上。

　　许多装帧师都与艺术家设计师合作，甚至有时也与其他的装帧师
合作。尤其是十分全能的施密特，他同时作为装帧师、艺术家、工匠与

格瑞特和卡纳普一起接受设计委托。让·杜南德也同样被委以各种项目，为其他的装帧师创作漆画和蛋壳镶嵌的饰板。动物题材雕刻家保罗·佐菲则提供象牙与铜饰板设计。

最重要的是，20世纪20年代的装帧师吸收了全套原本应用于其他领域的现代主义母题。并结合线、点、重叠圆圈和向心圆或放射带，用于创造对称或非对称的构图。通过使用厚实的纸板、雕刻元素、扭曲的旋涡图案形成的三维透视效果来制作凸面饰板。接近1930年时，机器和新技术的影响越来越显而易见，伯纳特在1929年勒格朗去世后，其才华横溢而开始凸显。他在1931至1932年的全金属装帧和雕塑，均迅速地追随一项更具革命性的技术：把超现实主义摄影形象转印到皮革的封面上。

除法国外，其他国家的书籍装帧仍较为保守，它们很少有装饰艺术风格的案例。在美国，约翰·瓦索斯[John Vassos]创作了一些明确的现代风格的装帧设计，用亮色的珐琅代替法国常用的彩色皮革马赛克。

第九章 | 首饰

　　20世纪二三十年代装饰艺术风格的首饰设计可追溯到第一次世界大战之前，新艺术运动已解开了维多利亚时期的束缚的时候。到1900年，一些珠宝师，如雷奈·拉里克、乔治斯·富凯、亨利·威尔，把半宝石甚至价值不高的材料带入首饰设计的"美丽年代"[Belle Epoque]，钻石结束了其长时间的统治地位。动物的角、玳瑁、贝壳、象牙、珐琅、珍珠母代替了钻石、红宝石和蓝宝石。尽管新艺术风格的首饰繁复又华丽，曾长时间受到公众的关注（到1905年才过时），但世界的时尚趋势仍是继续使用半宝石。

首饰与时尚

　　对装饰艺术运动首饰影响最大的是"一战"前的巴黎时尚，影响之大，以至于研究当代时尚的前提是先研究几种类型的首饰在两次大战之间发展演变的来龙去脉。

　　比起其他的服装设计师，保罗·波烈最先改变了服装设计，把女性从维多利亚时期的紧身胸衣和鲸鱼骨胸衣里解放出来，他写道："乳房以及胸部被单独幽禁在一个密不透风的堡垒似的紧身胸衣里，就像惩罚她们一样，这真是难以置信。"他革命性的设计，抛弃了所有多余的装饰，改变了女性的轮廓。忽然，服装变成了苗条的管状的，并且相对朴素样式。

　　1917年，低腰线代替了波杰特苗条的高腰线服装。裙摆在20世纪20年代的头五年里瞬息万变，长到脚踝，短到小腿。1925年，裙子的

154

长度变短，仅仅到膝盖下方（长度与现在相似），1929年又回到小腿中间。轮廓线变得更长更平，抑制所有的曲线。这种瘦长的服装样式需要相似风格的简单，小件，线型的首饰。

不仅仅是裙摆有变化，领口和背部也发生变化，移上移下，最后背部线条几乎瞬间低到臀部位置。为了强调管状服装的垂直线条，首饰设计师设计了长款的可以晃动的项链。珍珠项链和珠串向后佩戴，悬于背部，跨过一边肩膀，或绕着手臂佩戴。项链挂着吊坠或流苏，长长地悬挂到胃部，有时甚至长到膝盖的位置。在喧闹的20世纪，长项链和短束腰连衣裙是跳舞的基本配备。

"一战"把妇女带到工厂工作。各种各样的工作，如兵工厂的流

154. 乔治·巴比尔：《再见》，时尚插画，1924年。

水线工作，快速地把妇女从紧身胸衣中解放出来，给她们更多的自由，战后她们也不愿交出这种自由。当然也因为需要节约厚重面料给军队使用，这加速了妇女们对于柔软、纤瘦的衣服廓形的接受能力。轻薄材料的使用，如人造丝、棉布对首饰设计也产生了影响。较轻的新款首饰被镶嵌在铂金上，代替了之前相对沉重的但是轻盈的纺织品无法支撑的珠宝。

为了配合这种时髦的新造型，发型变短了，引领了假小子造型。发型的变化直接影响了首饰的设计。齐耳的发型使得耳朵和脖子暴露在外，1929年应运而生的耳坠已经长到可以触碰到肩膀。钟形女帽在1923年冬天开始流行，是装饰艺术运动时期的另一种符号。这种帽子完全把头部盖满，前面压到眉毛的位置，后面盖到颈部，并用胸针扣［brooch buckle］或帽子别针［hat dart］固定住。由于长头发或者绑到后面的发髻会使得帽子变形，所以女性们把头发修剪成波波头或短发。结果，欧洲美好时代［Belle Epoque］对于梳子、发饰、发冠的需求大量减少。当没有钟形帽时，新时代的时髦女性会利用宝石发夹或束发带整理她的短发，使其整齐平顺。在那之后，穿着晚礼服时，也会将宝石发夹或束发带放置在发际线位置或头顶，看起来宛如一个光环。

无袖裙是这个时期的一大特色，这就给予设计师自由发挥的空间去设计手腕与上臂的饰品。出现了各种各样的手镯手链的款式。其中受到普遍欢迎的首饰是扁平，可活动的较窄的带状首饰，上面装饰着简洁的风格化的花朵、几何图形或异国风情的装饰母题。可以将四五个手镯搭配佩戴。20世纪20年代晚期，首饰款式逐渐变宽。较大的方形珊瑚链、水晶链、缟玛瑙链和密镶钻石链［Pavé Diamond］由磨圆的绿宝石、红宝石、蓝宝石衬托。手镯或链镯［slave bravelets］可以戴在上臂，或肘部上方一点点。就像松紧手镯一样，臂镯一度很流行。而晚礼服的配饰则变为，将松散的珍珠串联成一个较大的圆形珍珠吊坠，再由

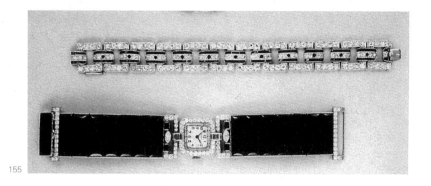

155

一串珍珠项链悬挂起来首饰。这些也都佩戴在手肘上方。

　　无袖连衣裙和对运动的狂热使得腕表在20世纪20年代变得非常流行。当让·巴图[Jean Patou]帮网球明星苏珊娜·朗格伦[Suzanne Lenglen]打造造型时，他把假小子风格运用到高级时装中，朗格伦成为典型的新时髦形象代表。白天，腕表比较朴素，用皮革或丝带绑紧，晚上，腕表变化多端，出现各种用珐琅或双色金镶嵌着珍珠和钻石的腕表。这个时期的例子有蒂凡尼公司制作的用铂金镶嵌钻石和珊瑚的腕表。

　　用缎带和丝带系着吊坠和链表[chatelaine watch]的做法流行于1925年到1930年间。晚礼服的佩戴则一般采用项链，大多是镶满珍珠、钻石、彩色宝石或用钻石点缀的项链。例如，梵克雅宝用玉、珐琅和东方母题展示出东方文化对它的影响。

　　新的服装设计师用同样废除了手袖和手套，让手指和手腕自由地展示金光闪闪的配套戒指和手镯。戒指往往是较大的雕刻风格的款式，中间镶嵌着一块宝石，由密镶了钻石、宝石、半宝石的戒环围绕着。晚礼服的流行为最新的戒指款式提供了更多的展示机会。苏珊娜·贝尔佩隆[Suzannne Belperron]设计的大型戒指，用雕刻的玉髓与单颗东方珍珠镶嵌在一起，精确地捕捉到了新流行趋势。其他设计师则提供了各种各样的设计：让·德普雷在立体主义与非洲面具艺术的影响下用水晶、黄金、银制作带有抽象几何图案的首饰。

　　装饰艺术运动时期最多功能的首饰配件是胸针[brooch]，它不仅被用作胸前装饰，还被用作腰带、帽子、肩部的装饰。几乎每一位珠宝商都销售带有风格化花卉、水果篮、喷泉装饰母题的胸针。

其他影响

　　第一次世界大战前，巴黎忽然流行起五彩缤纷的颜色，这为装饰艺术运动的首饰设计师提供了灵感。莱昂·巴克斯特为1909年在法国首都巴黎表演的俄罗斯芭蕾舞团设计舞台和服装，就像一个包含了橙色、浅蓝色和绿色，慢慢过渡至透明，消失殆尽的万花筒。由于受到俄罗

156

155. 佚名设计师：（上）黑色编玛瑙钻石手链，铂金，20世纪20年代。（下）黑色编玛瑙钻石腕表，铂金，20世纪20年代。

156. 梵克雅宝：手链和肩夹[shoulder cilp]，红宝石、祖母绿、蓝宝石、编玛瑙、钻石以及铂金，1924年（梵克雅宝收藏）。

斯芭蕾舞的影响，时尚界转向关注波斯和东方的装饰主题。1905年，在先锋派绘画方面，野兽派群展第一次在秋季沙龙展出，同样提倡使用明亮的、充满生气的颜色。同样专注于明亮色彩的首饰设计师也在寻找适合的宝石，许多宝石都很有异国风情，如珊瑚、玉、琥珀、缟玛瑙。

装饰艺术运动时期的首饰母题

在20世纪最初的10年里，装饰艺术运动时期首饰的装饰元素主要来源于各种先锋派绘画运动。尤其是立体主义和结构主义运动，把画面中的图像分成块面与重叠几何形，为首饰设计提供了大量的灵感来源。多余的细节被去除，取而代之的是对简洁的追求。1909年，意大利诗人马里内蒂[Marinetti]出版了《未来主义宣言》[*The Futurist Manifesto*]，预示着机器、城市生活以及速度作为艺术表现的新趋势的到来。荷兰风格派画家蒙德里安将立体主义进一步发展为新造型主义[Neo-Plasticism]。通过抽象造型，他将形式从指代现实中的事物的职责中解放出来。早在1913年，一些类似的新观念就已出现在首饰设计中，尤其是法国。在美国，激烈反对现代主义首饰设计的声音已持续了几年。1913年，一位批评家在《珠宝商周报》[*Jeweler's Circular Weekly*]上提出问题："绘画和雕塑领域的新运动是否反映在未来的首饰设计中？"并继续推断："新颖而简洁的新事物充满活力的脉冲正在每一双手腕上显现……"这种脉冲在1925年的装饰艺术博览会中达到高潮。

装饰艺术首饰设计的首要主题是简洁的几何形——正方形、圆形、长方形、三角形等等。这些元素经常被并列或重叠在一起，以创造出复杂的线性构图。首饰设计中的抽象图案，则来源于古代文明国家的建筑，如巴比伦的神塔、后来的玛雅和阿兹特克神庙。20世纪的头十年，弗林德斯·皮特里爵士的考古探奇始于对埃及的狂热，这种狂热受到霍华德·卡特[Howard Carter]于1922年对发现图坦卡蒙墓的大力宣传的刺激而加速。象形文字里的简洁线条使得"一战"前就已出现的线性观念再次热门起来。包括梵克雅宝在内的许多品牌开始借用风格化的埃及装饰主题，诸如莲花、圣甲虫、狮身人面像，设计系列配套的手镯、肩夹、胸针。撇开这些形象的象征意义来说，这些形象给首饰设计注入了一点女性气质和异国情调。钻石、红宝石、绿宝石和蓝宝石常与缟玛瑙等石英类宝石搭配设计。

更进一步的异域情调影响则来自法国的非洲殖民地，让·富凯、雷蒙·唐普利耶[Raymond Templier]把土著人的面具和雕像的元素运用到胸针设计中。约瑟芬·贝克在香榭丽舍剧院的《黑色歌舞》中推广了这种趣味。1913年，在殖民地展览中的普雷西厄艺术首饰展把这种趣味传播开来。珠宝商们同时也从波斯寻求首饰设计的灵感，如用玫瑰粉、长寿花黄、淡紫色、樱桃红来设计方巾[turbans]和羽毛饰品[aigrettes]。设计公司也从中国寻求灵感，如梵克雅宝把中国塔和中国龙的元素用在胸针设计上。

（用作服饰的）人造珠宝

服装饰品与珠宝不同，服饰珠宝用基础金属或银制作，用白铁、人造宝石或仿真宝石装饰。20世纪20年代，合成材料的使用使得人造珠宝的价格降低到普通大众可接受的范围。自从它的价格变得比较便宜之后，这类饰品拥有许多贵重珠宝所没有的优点，当款式更新时，可以随时丢弃过时的饰品。法国服装设计师可可·香奈儿[Coco Chanel]

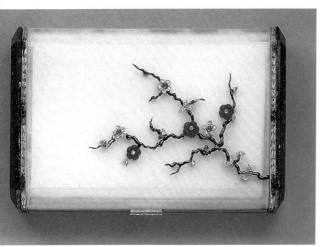

157   158

从20世纪20年代，便开始支持服饰珠宝的应用。

　　1925年至1930年间，人造树胶——一种合成塑料树脂的生产技术得到了快速的发展。刚开始仅考虑到作为木、大理石、角以及琥珀的替代品的人造树胶后来成为服装饰品的主要材料。

配件

　　梵克雅宝和卡地亚为当时穿着考究的女性制作精致的服装配件。由于中国、日本、波斯和中世纪艺术的影响，这些珠宝艺术品用彩色宝

157. 拉克洛什：小化妆包，黄金、磨砂水晶和天青石，20世纪20年代（佳士得提供图片，日内瓦）。158. 佚名设计师：（右）晚宴包，钻石、绿宝石、蓝宝石、象牙、珐琅、黄金、黑色山羊皮、丝绸衬里，约1924年；晚宴包，钻石、玉、黄金、珐琅、锦缎、丝绸衬里，约1924年（佳士得提供图片，日内瓦）。

石、贵重宝石、白铁、珐琅和漆进行设计。由杰拉德·桑德斯[Gerard Sandoz]、让·杜南德、保罗·布兰特[Paul Brandt]设计的小香烟盒用了蛋壳镶嵌工艺来进行装饰。无论是小化妆包、香烟盒、粉饼盒、打火机、唇膏管、镜子还是手提包，每一件物品都被制作成一件微型艺术品。

　　盒子、化妆包的形式则借鉴日本印笼[inro]（一个小盒子被分成几个隔层）。盒子虽小，但可容纳各种必需品：镜子、小粉盒、唇膏和梳子。大部分的化妆包都是矩形、长圆形、椭圆形，用丝罗缎[silk cord]悬挂着。1930年，梵克雅宝把小化妆包加大成"米诺蒂耶"百宝匣[minaudière]，当他看到妻子娇媚地[minauder]照着镜子后，为这款首饰取了这个名字。"米诺蒂耶"百宝匣代替了晚宴包、手提包、白天搭配衣服的手袋。香烟盒、唇膏管、卡片盒全都用与化妆包相同的材料进行装饰。

　　装饰艺术运动的手提包用奢侈的纺织品或兽皮制作，黄金或白金镶边或做扣子。加工成切面形状或圆形的红宝石、绿宝石、蓝宝石以及钻石镶满四个边。半宝石被切割成埃及或东方的主题，用作包扣。拉克洛什[LaCloche]和尚美[Chaumet]把金属小亮片绣到晚宴包上，梦宝星[Mauboussin]用钻石和绿宝石的包扣装饰精美的晚宴包以搭配胸针和手镯。

　　装饰艺术运动也涉及男性珠宝，但很少会设计成珠光闪闪的款式。怀表被设计成几何形的白金表盘，镶嵌着缟玛瑙、钻石、珍珠、绿宝石、红宝石以及托帕石。圆柱形的表链用抛光或切面的宝石来衬托。袖扣也采用同样不夸张的形状。让·富凯用珐琅的立体主义母题设计了一对著名的男装袖扣，布拉克、斯塔尔与福斯特[Black, Starr&Frost]则用钻石镶边的缟玛瑙设计男装袖扣。

1925 年国际博览会

在装饰艺术运动的众多分支中，1925年现代工业装饰艺术国际博览会[Exposition Internationale des Arts Décoratifs et Industriels Modernes]代表了法国装饰艺术风格首饰的极盛期。除了法国，这种风格很少有支持者，外国的参展者并未完全响应"一战"后主导整个巴黎现代趣味的几何形设计风格。

富凯公司的乔治斯·富凯被选为首饰板块评选委员会主席[Chairman of the Selection Committee for the Parure section]。在他的领导下，委员会决定只接收那些体现新观念以及原创性的作品。作品必须匿名提交；参加评选的作品的展示柜上必须将其公司及作者名隐去。将近400间公司提交作品参与评选，只有30件作品入选。

主要的入选参展者有：宝诗龙[Boucheron]、尚美、迪索苏[Dusausoy]、富凯、拉克洛什、林芝乐[Linzeler]、梦宝星、麦兰瑞以及梵克雅宝。卡地亚选择在优雅宫[Pavillon de l'Elégance]与服装设计师的作品一起展出。宝诗龙公司展出由M. 希尔茨[M. Hirtz]、M. 马斯[M. Masse]、M. 鲁贝尔[M. Rubel]设计的首饰，其中包括两件引人注目的装饰艺术风格的胸针。胸针上圆齿形青金石、玉、缟玛瑙和镶边珊瑚[mat coral]、绿松石一起，周围镶满钻石，就像微型马赛克一般。

艺术珠宝设计师雷蒙·唐普利耶、保罗·布兰特、杰拉德·桑德斯发挥了独特的创新性。富凯公司展示了以下设计师、艺术家的作品：建筑师埃里克·巴奇，平面设计师安德烈·莫龙[André Mouron]（卡桑德[Cassandre]），画家安德烈·拉维耶[André Léveillé]、路易斯·费尔泰[Louis Fertey]，以及乔治斯·富凯的儿子让[Jean]，让在1919年加入富凯公司。安德烈·拉维耶和路易斯·费尔泰获得了大赛奖[Grand Prix awards]，卡桑德以及让·富凯获得荣誉奖[honorable

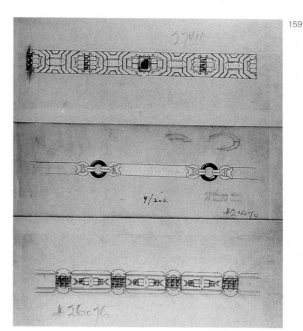

159

159. 奥斯卡·赫尔曼兄弟；手链草图；上 钻石、绿宝石、铂金；中钻石、缟玛瑙、铂金；下 钻石、绿宝石、铂金；全部约为1929年（图片由奥斯卡·赫尔曼兄弟提供）。

mention]。拉维耶的设计令人回想起毕加索和勃拉克描绘着重叠形象的拼贴画，而卡桑德则采用了曼陀林[mandolin]装饰，一种因毕加索而流行的图案，最后被用在胸针设计上（图160、图161）。

进入 20 世纪 30 年代

直到1929年，自1925年博览会所兴起的抽象形式已发展成基于工业设计和机器构造的机械形式。汽车、飞机等内在结构的设计原理激发了新的珠宝装饰语言。遥远但切实的影响应当追溯到包豪斯。新美学的先锋派设计师有让·富凯、雷蒙·唐普利耶、让·德普雷、保罗·布兰特、杰拉德·桑德斯以及苏珊娜·贝尔佩隆。

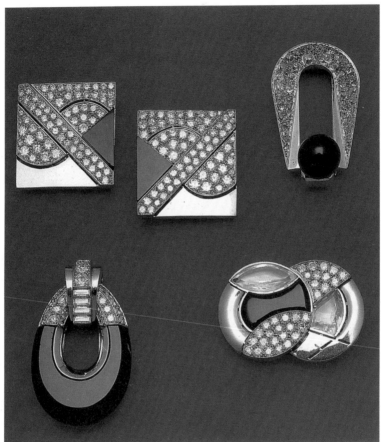

160

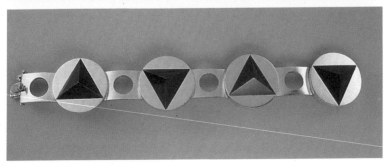

161

162

　　首饰设计从20世纪20年代单薄而精巧的设计发展到具有清晰轮廓线的、大胆的、粗犷的设计。明亮的颜色让位于柔和的色调。缟玛瑙和钻石形成了强烈的黑白对比。耳环变得越来越长。富凯用磨砂的水晶、紫水晶和月光石为他妻子设计臂镯和配套的戒指。20世纪20年代早期均匀的细手镯被中间变厚的新款式所取代。重叠的形式让位给干净、简洁的线条。

　　1929年，金银珠宝首饰艺术展［The Exposition des Art de la

160. 顺时针：保罗·布兰特：一对夹子，钻石、缟玛瑙、白金和铂金，约1925年。雷蒙·唐普利耶：胸针，钻石密镶，缟玛瑙、铂金，约1925年。梦宝星：胸针，钻石、缟玛瑙、白金，约1925年。保罗·布兰特：胸针，切面水晶，缟玛瑙、白金，约1930年（纽约普里马韦拉美术馆画廊收藏）。**161**. 让·富凯：手链、白金、黄金、缟玛瑙，约1925年（纽约普里马韦拉美术馆收藏）。
162. 雷蒙·唐普利耶：两用手镯与胸针，钻石、缟玛瑙、银、铂金、金，约1929年（弗吉尼亚艺术博物馆收藏）。

Bijouterie，Joaillerie，Orfèvrerie] 在巴黎加列拉博物馆举办。只有那些新奇的珠宝才会被展出——如由梵克雅宝设计的一款镶嵌了大颗钻石的领带。

　　此时钻石再一次成为至高无上的珠宝，被切割成新颖的长方形，与其他宝石镶嵌在一起，互相衬托。宝诗龙开创了长方形切割的钻石手镯设计，边缘周围镶嵌蓝宝石。梦宝星把钻石设计成流苏状，镶嵌在蓝宝石颈圈上。19世纪晚期开始就不再流行的彩色钻石也重新开始受到喜爱。拉克洛什展示了镶嵌着淡黄色钻石的胸针和手镯。

　　经济的大萧条给奢侈品带来了致命的打击。1929年经济崩溃之

163. 查尔顿：小粉盒，金、祖母绿、珍珠，1923年；布拉克·斯塔尔与福斯特：耳环，钻石、珊瑚、铂金，约1923年（纽约普里马韦拉画廊收藏）。

后，多用途珠宝变得非常流行（由二或三种材料构成的珠宝，可拆卸，可单独使用）。吊坠可以用作胸针或翻领别针。一个两面的发夹由两个可连接的部分构成，也可以拆开分别使用。蒂凡尼设计了一款项链可以拆开变成一个吊坠和两个手镯，或者一个吊坠和一条短项链。

由于经济大萧条的持续影响，一些公司不愿意制作新产品，因为这可能很难销售出去。1931年，当巴黎城外宛赛纳森林举办的属地艺术展征集参展作品时，只有23间珠宝公司参与展出。尽管有些公司展出具有殖民主题的珠宝如黑人面具，大部分的参展作品还是来自于现有的作品清单。整个20世纪30年代，大部分的珠宝公司进行裁员或直接关门。1935年，装饰艺术运动的大师乔治斯·富凯停止制作部分主要的产品。在美国，蒂凡尼仍然开门营业，但只留下一些骨干员工。

如前所述，装饰艺术运动主要是一场属于法国的运动。在美国，装饰艺术运动风格勉强地影响到首饰设计。美国主要的珠宝领导品牌，蒂凡尼在19世纪成立于纽约，以新风格创作了传统的珠宝，但不像宝诗龙和梦宝星的珠宝那样采用棱角分明的设计形式。其他的珠宝公司，如纽约的布拉克·斯塔尔与福斯特、尤德尔与巴卢[Udall & Ballou]，费城的J. E. 卡德维尔[J. E. Caldwell & Co]、巴利[Bailey]、邦克与比德尔[Bank & Biddle]，芝加哥的C. D. 孔雀[C. D. Peacock]、斯波尔丁-戈勒姆[Spaulding-Gorham]，制作了一些新的珠宝样式，但再也没有法国同行的那种派头。

在这些限制内，美国的装饰艺术运动珠宝走了一条与法国装饰艺术运动珠宝相似的道路。开始的十年里，主要以轻盈和经济适用为主，最后变成批量生产。1924年，法国主要的珠宝公司宝诗龙、卡地亚、梦宝星、桑德斯以及梵克雅宝均在纽约大皇宫的法国展中，展示了它们最时尚的珠宝作品。虽然美国的珠宝设计并没有直接取材于这次展览，但后来美国的珠宝设计确实变得越来越几何形。

　　人们很容易看出美国珠宝中的新风格在那个时期的发展。阶梯式的轮廓首次出现在几件珠宝上，碰巧与摩天大楼的出现相一致，这些摩天大楼正在改变着主要城市的面貌。这些珠宝的造型第一次出现时，纽约的克莱斯勒大楼与帝国大厦正在建设中。

第十章 | 建筑

在法国，从第一次世界大战结束到1925年的国际博览会期间，巴黎"装饰艺术运动"的流行风格主导着每年的装饰艺术沙龙展，但这种风格较少被运用到建筑上。检验"当代"的标准，主要是通过随机选择观察那些商店——著名的香水店、面包店以及鞋店是否采用了新的风格进行装饰。苏和梅尔用了一大批豪华的半浮雕水果篮以及漂亮的花环来装饰奥赛化妆品商店[*Parfumerie d'Orsay*]的立面、罗伯特·林芝乐珠宝店、皮内特[Pinet]鞋店等。材料的使用显示出公司室内设计的特色：鎏金铜像[ormolu]、蓝色灰泥、熟铁以及镀金木刻装饰的黄色大理石。巴黎市中心右岸最时髦的林荫大道上的建筑立面用色相似，由装饰公司西格尔[Siègel]和马丁[Martine]施工，而建筑师雷奈·普鲁、迪杰奥-邦佐瓦、让·伯克哈尔特则为店面设计了更为淡雅的、棱角分明的装饰。

法国最著名的装饰艺术风格的建筑是1925年国际博览会的设计，仅用6个月的时间就建造完成了。事实上，展览结束后，整个展览馆被夷为平地，这是运用激进的建筑形式和未经尝试的材料的刺激试验。石头与砖头让位于层压材料与塑料。先锋性是展览的先决条件。"入选作品必须体现新灵感与真正的原创性。这些作品必须由那些具有创新形式的工匠、艺术家、制造商制作和展示，而编辑们编辑的作品则必须属于现代装饰和工业艺术。严格禁止复制、模仿古代风格及其仿制品。"沿着荣军院到意大利中世纪小城镇的栖息处、亚历山大三世桥两旁，都可以看到振奋人心的先锋派结构设计。三艘由波烈用彩绘花卉装饰的驳船停泊在桥下，引起了极大的反响。被安置在右岸，诸多外国展馆之间的

164

164. 阿泽玛·埃德雷和哈迪（建筑师）：立面，吉罗，卡布辛大道，巴黎，石头以及熟铁，约1925年。**165**. Ｆ·沙尼（主建筑师），与莫里斯·杜菲尼（装饰设计师）合作：马蒂斯展厅，国际博览会，巴黎，1925年。**166**. 亨利·索维奇与维博（建筑师）：青春展厅，国际博览会，巴黎，1925年。

165

166

167

是勒·柯布西耶那完全呈现直角设计形式的新精神展馆。

美国一位批评家把展览狂想曲似的色彩和抽象形式比喻为巨大的康尼岛[Coney Island]。四家主要的巴黎百货商店为他们展馆内的设计作品确立了基调:乐·蓬·马歇百货公司的波莫纳工作室(建筑师是L-H. 布瓦罗[L-H. Boileau]),巴黎春天百货的青春工作室(建筑师是索维奇与维博[Sauvage & Wybo]),老佛爷百货公司的大师工作室(主要建筑师是F·沙尼[F. Chanut],以及J.希瑞艾[J.Hiriat]、G. 布鲁[G. Beau]与装饰设计师莫里斯·杜菲尼[Maurice Dufrene]),卢浮宫百货公司的卢浮宫工作室。其他展馆也同样引人注目:旅游与信息中心(R.马莱–史提文斯[R. Mallet-Stevens])、克里希宫百货商店(C. 斯克里斯[C. Siclis])、塞夫尔国家加工厂(P.帕图[P. Patout]与 A. 凡瞿

167. L-H.布瓦罗(建筑师):乐·篷·马歇百货波莫纳展厅,国际博览会,巴黎,1925年。168. 查尔斯·雷尼·麦金托什:门廊,北安普敦,德盖特,第74号,1916年。

[A. Ventre]以及H. 罗宾[H. Rapin]一起设计）、鲁赫尔曼的典藏酒店
（P. 帕图）（图165、图166）。

观众在处处都能看到阶状结构、立体主义、拱门[arcs]以及拱肩
[chevrons]的奇异组合。并不是每位观众都喜欢这样的形式。曾有一
位批评家就把建筑博览会称为比例失调的矩形和三角形的混合物，并嘲
讽地说，"远远耸立着的卢浮宫、杜伊勒里宫和荣军院的外形像沉默
的、充满怨气的幽灵。"

装饰艺术风格的建筑装饰并未从巴黎延伸至很远。不像20世纪20
年代的美国建筑经历了一场建筑领域的繁荣兴盛，欧洲由于"一战"的
巨大破坏，正处于一段相对平静的紧缩时期。此外，拥有丰富传统建筑
的欧洲更倾向于战后重建而非拆除。

英国人认为查尔斯·雷尼·麦金托什晚期的风格使他成为装饰艺

168

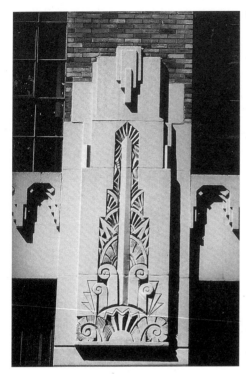

169

169. 佚名建筑师：陶瓦中楣，纽约哈德逊大街345号。

术的先驱者之一。他1916年为德盖特[Derngate]设计的位于北安普顿的房子，包含了装饰艺术风格的经典母题——Z字形的线条、箭矢型、重叠的正方形以及平面几何图形。

20世纪20年代的英国和其他地方一样，没有传统样式可供参考的建筑样式较为倾向于采用新风格，比如车库、发电站、机场建筑、电影院以及游泳池。所有这些建筑均尝试一种自觉地现代风格；但严格区分来自早期国际主义风格和欧洲大陆的装饰艺术风格的元素通常不是一件容易的事。

天平的一端是电影院和酒店明目张胆的民粹主义，装饰艺术风格在这两种建筑里被展现得最为淋漓尽致。不计其数的地方音乐厅设计在办公大楼里，如附近的哈里·威尔登[Harry Weedon]，或由1930年E. 瓦姆斯利-路易斯[E. Wamsley-Lewis]设计的新伦敦维多利亚电影院。在众多酒店当中，由奥利弗·伯纳德设计的斯特兰德皇宫[Strand Palace]酒店的前厅，由于看起来像是发光的玻璃所建，而显得格外出众。R. 阿特金森[R. Atkinson]1932年为位于佛里特街的每日邮报大楼设计的建筑前厅可与之相媲美，这栋建筑今天仍然矗立于英国。

商业和工业大楼的设计必须更节制，但它们的装饰有时出乎意料的奢华，例如在1929至1934年，哈里德[Halliday]和阿格特[Agate]设计的伦敦巴特西发电站（由贾莱斯·吉尔伯特·斯科特[Giles Gilbert Scott]设计外观）；西伦敦的胡弗与费尔斯通工厂；1928年，佐敦·吉夫斯[Gordon Jeeves]和雷蒙·胡德[Raymond Hood]设计的伦敦创意屋；1927年，H. S. 古德哈特[H. S. Goodhart]设计的位于伦敦的海之码头[Hay's Wharf]；或者是格雷·瓦纳姆[Gray Warnum]1932年设计的英国皇家建筑学院的总部。所有这些案例均使用昂贵的材料，手工艺品一般的品质，注重细节，使得这些建筑与法国和美国的装饰艺术风格建筑并驾齐驱。

仍有一些引人注目的建筑，其外形部分的使用了装饰艺术风格的语言，它们是英国重要建筑设计的组成部分，但这些建筑的装饰性元素在慢慢减弱或逐渐消失——如在贝克斯希尔的孟德尔松和切尔马耶夫战争纪念馆[Mendelsohn and Chermayeff's De La Warr Pavilion]，查尔斯·霍尔顿[Charles Holden]设计的伦敦大学参议院、伦敦播音馆、伦敦瑰柏翠的彼得·琼斯[Peter Jones]商店，或者位于布莱顿的威尔斯·科茨[Wells Coates]大使馆法院平房。

1923至1925年，美国摩天大楼开始真正繁荣时美国并没有属于自己的现代风格。唯一可供美国建筑使用的现代装饰风格是盛行中的巴黎

170

装饰艺术风格。由于这个原因，装饰艺术风格可在20世纪20年代早期兴建的大量美国建筑中找到，而这些建筑主要是摩天大楼。

当然，美国也有延续哥特式风格的建筑，如纽约基斯·吉尔伯特·伍尔夫斯大楼[Cass Gilbert's Woolworth Builing]以及胡德和豪威尔[Howell]受到哥特式风格影响的芝加哥论坛报大厦[Chicago Tribune Tower]。但这些历史风格不再适合20世纪建筑结构的发展。它直接被来自巴黎最新的色彩、几何形和花卉图案所替代——波浪纹、弧线、旭日东升形图案、少女形象、春天的花朵等等。20世纪20年代这些从装饰艺术中挪用的元素，成为美国此时最容易识别的现代主义建筑

170. 麦克肯兹·沃利斯与格梅林：入口外立面，模铸混凝土，纽约电报大楼，西街，在巴克莱和维西大街之间，纽约，1923—1926年。**171**. 佚名建筑师：中楣，卫生部大楼，沃夫大街街角中心，纽约。

171

的典型装饰。当这种风格在法国已经过时，成为陈词滥调之后，美国仍继续沿用了很长一段时间。

在传统建筑当中，现代主义装饰作为一个过渡性的手段，同样吸引我们关注建筑外形的改变。垂直阶梯式的装饰更加突出了摩天大楼的高度，水平的装饰带则强调了建筑退台式上升的节奏。装饰艺术运动极度注重建筑的大门——外部格架结构、门、前厅以及电梯。石头、砖头、瓦片、金属的华丽结合往往可以把另一种平淡无奇的结构转换成伟大的公民自豪感的来源。

在许多杰出的建筑案例中，建筑的装饰元素往往不是由建筑师所设计的。无数的美国商业建筑、工厂以及商店具有相同的陶瓦和青铜中楣、拱肩和大门。所有这些材料均从制造商购得，如西北陶瓦公司、国家陶瓦协会、大西洋陶瓦公司。美国黄铜公司则"通过使用2313种形

172

172. 瑞特与谢伊（建筑师）：陶瓦细节，国家银行大楼，朱尼普大街与市场街街角，费城，1929年（兰迪·贾思特拍摄）。

状的模具而使原创设计获得无限可能性"。这些突出的巴黎式造型——风格化喷泉、云纹图案、旭日图案、紧密堆积的花朵等混合成一种"原创"的效果。大部分建筑师会把最初的构思留给绘图员[draftsmen]来完成。

20世纪20年代，建筑师开始不断地抛弃传统建筑材料，进而采用新材料，尤其是金属和玻璃，他们发现金属和玻璃用于新建筑更加和谐。最新的科技建筑材料——钢铁，其巨大的拉力和明亮的光泽展现出了现代的灵感。无论是建筑还是装饰艺术，金属时代开始逐步取代陶瓦和石器时代。

从1925年始，现代主义建筑装饰逐渐传播到美国的各个角落。尽管如弗兰克·劳埃德·赖特和其他的反对者认为，把这些庞大的建筑建到人口稀少的地区是不切实际的事，但在城镇中，曼哈顿式的摩天大楼（及其装饰）却还是迅速涌现。令人出乎意料的是装饰艺术风格在各个地区很少发生变化：在圣地亚哥的厂房、北密歇根和西雅图的商店以及银行，可发现同样的巴黎旭日东升图案和波浪纹。也有极少数装饰艺术风格直接受到当地影响的例子，如新墨西哥州阿尔布开克的基摩剧院[Ki Mo Theatre]，在西班牙传教士风格[Spanish Mission-style]的建筑上使用了色彩缤纷的陶瓦中楣，并融合了普韦布洛[Pueblo]和纳瓦霍印第安人[Navajo]的装饰主题。在其他地方，现代主义装饰也很少从当地传统中寻找灵感。只有在南佛罗里达，尤其在迈阿密海滩的现代建筑，带有一种一致的地域风格，而这与纽约的建筑大相径庭。

关于美国装饰艺术运动的建筑装饰的全国性调查，从这种风格最集中的区域-纽约开始，总结除了此次运动中的最佳案例。

在曼哈顿，纽约通讯大楼是第一座结合现代主义装饰的建筑。1923年，它聘请麦克肯兹·沃利斯与格梅林公司[McKenzie, Voorhees & Gmelin]（即后来的沃利斯·格梅林与沃克公司[Voorhees，Gmelin & Walker]）在下西区设计了公司办公室。退台式摩天大楼的著名例子是1926年竣工的巴克莱-维西[Barclay-Vesey]大楼，由于它的体量和装饰在当年受到了极大的关注。人们曾一度认为这栋建筑没有收到历史的影响，是非常现代、非常美国的，可是今天看来，其设计却是明显的文艺复兴风格，并大量使用了维多利亚时期的装饰。米黄色的人造石被用在深色砖块的建筑立面上，葡萄藤、水果、植物等组合成的紧凑的装饰图案覆盖在每一个檐口、拱门、窗台和过梁

上。（图170）

当然，这些设计并不足以成为之后美国现代建筑运动的源头。通讯公司后期位于新地标建筑的大厅利用水磨石拼成的壁画饰板更有效地展示出现代企业的风采。阿尔弗雷德·E. 弗洛格[Alfred E. Floegel]设计的中心人物形象向周围辐射出风格化的闪电代表人类控制着全世界的通讯。

20世纪20年代后期，伊利·雅克·科恩成为杰出的建筑师以及美国现代主义建筑设计最重要的倡导者。科恩的重要性主要体现在他鲜明的现代主义风格的建筑装饰上。他恰到好处地利用几何形图案的相互搭配，使其重复出现在入口大堂、电梯门和信箱处，每一处都是程式化装饰主题的创新运用。电影中心、斯奎布[Squibb]大厦、荷兰广场大厦、花园大街2号大厦、列夫可特服装中心[Lefcourt Clothing Center]、华尔街120号大厦、布里肯大厦[Bricken Building]、约翰街111号和百老汇大街1410号大厦等，这些都是他所设计的精彩入口和前厅的绝佳案例。科恩的设计能够一直保持高水准的原因部分是因为他只为两位主要的顾客服务，而这两位顾客都给予他发展自己充满活力的个人风格的自由。

曼哈顿最豪华的装饰艺术当属1929年由建筑师沃伦[Warren]和韦特默[Wetmore]修建的斯图瓦特公司大楼[Stewart & Company Building]的建筑立面，座落于第五大道56大街东边。其宏伟的入口包

173. 威廉·凡·阿伦（建筑师）：从67楼望去的克莱斯勒大楼的塔尖，1046英尺（318.8米），列克星敦大道第42街，纽约，不锈钢穹顶结构，1930年（照片由大卫和艾米·斯特维斯收藏）。174. 伊利·雅克·科恩（建筑师）：大堂，办公楼，第五大道第29街S·E·角落，纽约，约1929年（图片由纽约市立博物馆费希尔档案馆提供）。175. 伊利·雅克·科恩（布克曼与科恩，建筑师）：镀金铜细节，大堂，公园大道2，纽约，约1930年（图片由纽约市立博物馆提供）。

173

174

175

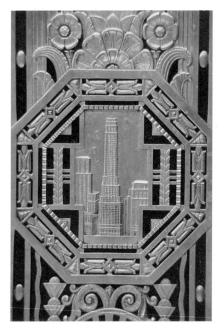

176

176. 克罗斯与克罗斯（建筑师）：格栅细节，城市银行农民信托大楼，交易广场，威廉·汉诺威和比维大街，纽约，1929—1931年（兰迪·贾斯特拍摄）。

177、178 斯诺与罗伯特森（建筑），可能与雅克·迪拉梅尔合作：陶瓦中楣和青铜中楣，查宁大楼，列星敦大道第42街，纽约，1927—1929年（兰迪·贾斯特拍摄）。

括巨大矩形中楣下的六扇门，中楣的两侧是两块配套饰板。大厦里有一系列妇女用品商店，装饰主题以20年代的巴黎风格为主：分层喷泉上装饰着风格化的身着垂褶裙人体、花篮、飞鸟等等。压花铝、彩瓷以及铜绿装饰的组合使这些形象具有强烈的浅浮雕效果。这种效果会被白天的日光或夜晚的低处成排若隐若现的灯光所强化。

八个月之后，毫无特色的替代品代替了斯图瓦特公司[Stewart & Co.]原来的豪华立面。邦威特·泰勒[Bonwit Teller]购买了这栋大楼，大概想把大楼的主要装饰形象抹掉，所以他要求伊利·雅克·科恩重新进行设计。

如果说有一栋建筑能够代表这个时期的传奇，那一定是由威廉·凡·阿伦[William Van Alen]设计的、令人振奋的克莱斯勒大楼

177

178

[Chrysler Building]。在20世纪30年代早期的短暂时间里，克莱斯勒大楼曾是整个曼哈顿地区最高的建筑。如果没有装饰，克莱斯勒大楼就是典型的20世纪20年代后期的商业建筑。把窗子作为设计元素进行研究，其表面的处理手法与同时期的许多建筑颇为相似。但是其建筑装饰使它成为装饰艺术风格的经典之作。最令人兴奋的是在第七层楼建造了加长的穹顶，每一层拱形结构都有三角形的圆顶窗，窗外包裹着闪闪发光的镀镍钢。即使到了今天，曼哈顿高楼林立，这个穹顶仍然引人注目。

第59层退台拐角处的鹰状滴水兽和第31层带翼的散热装置的盖子，使得这栋大楼的轮廓非常迷人,尽管这两种设计都只是对穹顶的一种装饰上的修饰。凡·阿伦最惊人的壮举当然是设计了重达27吨的钢尖顶，把建筑的总体高度拉高到1046英尺，已经超过埃菲尔铁塔。螺旋式的尖顶被隐秘地装在建筑的内部，在众人惊讶的注视下，通过建筑顶部的孔口[aperture]被吊了起来。

帝国大厦很快取代了克莱斯勒大楼的地位，成为曼哈顿最高的建筑。它位于曼哈顿第五大道350号，在西33街道与西34街之间。由施里夫、兰博与哈曼公司[Shreve, Lamb & Harmon]的威廉·F. 兰博[William F. Lamb]设计，在获得一致同意并于1929年8月30日公告之前，威廉曾向帝国大厦的财团提交了16个设计方案。这座大厦花了21个月建成，以大约每周完成4层半的速度修建。

这座大厦所获得的成就不仅仅在于它的高度。它是一件高贵而宁静的技艺高超的大体量作品，如同自然奇观一般，很快便受到民众的喜爱。它不是大家所认为的那种典型的装饰艺术风格作品。它的现代主义风格的装饰是相对含蓄甚至是谨慎的，无论是大堂装饰抑或外表装饰—外部（大厦顶部）铝制柱杆[mast]（用作飞船运载观众到顶部观光台的停靠点）上每个角落的锻造金属的拱肩和重叠扇形图案的选用,这些共同铸就了这座建筑的成功。建筑师的信条极具企业精神：一栋能够盈利的建筑，其规模必须有利于其盈利的最大化。装饰不是首要之选，也许因为在某种程度上，装饰永远无法无结构的宏伟感相抗衡。

在为第五大道500号所设计的摩天大楼中，施里夫·兰博与哈曼公司被给予更大的装饰方面的发挥空间。两尊充满活力的现代主义风格的巴黎女性形象被装饰在门的上方，门厅上装饰着引人注目的几何花饰窗格（现已被替换）。

位于公园大道的新瓦尔朵夫–阿斯托瑞亚酒店[Waldorf-Astoria Hotel]（由舒尔策与维尔公司[Schultze & Weaver]设计）的装饰主题是较为保守的法国当代装饰风格。入口处的中楣由法国艺术家路易斯·瑞格尔[Louis Rigal]设计，经过了几次改版之后，最后决定采用更为简洁的方案。这种较为保守的现代主义主题也被用于建筑内部的公共活动空

179. 雷蒙·M. 胡德和约翰·米德·豪威尔（建筑师）：每日邮报大楼立面，第二大道第42街东220号，纽约，1929—1930年（兰迪·贾斯特拍摄）。

179

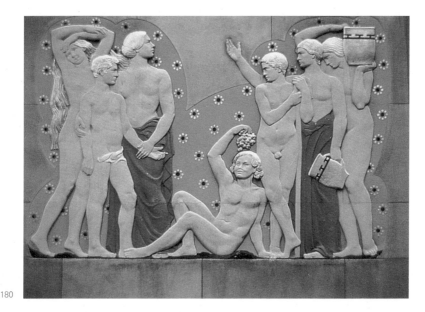

180

间。

查宁大楼[Chanin Building]（由斯诺与罗伯特森公司[Sloan & Robertson]的建筑师设计）位于42街的克莱斯勒大楼到列克星敦大道的斜对面，楼高54层，从1928年1月3日到8月8日截止，仅耗时205天建成（图177、图178）。下面四层楼的立面和室内装饰由雅克·L.迪拉梅尔[Jacques L. Delamarre]带领下的查宁设计部联合雕刻家雷奈·尚贝朗一起完成，并以"城市机遇"为主题。尚贝朗设计的大堂的半浮雕和散热格栅也许是现代主义装饰最令人印象深刻的例子。

180. 阿提里奥·皮其里利：《生命之喜悦》彩绘石灰石饰板，洛克菲勒广场大楼，洛克菲勒中心第48街西15入口处，纽约，1937年（兰迪·贾斯特拍摄）。
181. 伯雷与林曼（建筑师）：《光之魂》，尼亚加拉莫霍克动力公司大楼正立面的不锈钢雕像，28英尺（8.5米）高（尼亚加拉莫霍克动力公司大楼提供图片）。

　　1923年，在与约翰·M. 豪威尔[John M. Howells]的竞争中赢得了芝加哥论坛报大厦的设计权之后，雷蒙·胡德[Raymond Hood]开始把注意力集中在纽约的建筑项目上，其中的4个项目具有鲜明的现代主义装饰特征。第一个是位于第40街西40号，布赖恩特公园[Bryant Park]对面的美国暖炉大楼[American Radiator Building]，大胆的黑色和金色砖的配色方案强调了塔楼与陡峭的拱顶突出的轮廓。尽管其具有挥之不去的哥特式风格，但建筑本身被认为是商业性建筑的突破，其中部分原因是由于泛光灯可使拱顶在夜晚灯火通明。

　　位于东42大街的每日新闻大楼[Daily News Building]则是胡德更为成熟的建筑项目，这栋大楼体现出他似乎与当代建筑的联系更为密

182

183

184

185

切，大楼被装饰成简约的工厂，以时髦的现代风格摆放着现代日报的印刷设备。在简洁又优雅的梯形结构中，胡德利用窗户和拱肩的嵌壁式的垂直饰带来强调建筑高度。大堂戏剧性的使用黑色玻璃及中央内嵌式的球进行装饰。

胡德和安德烈·富尤[André Fouilhoux]合作设计麦格劳-希尔大楼[McGraw-Hill Building，1930]，他们借鉴了20年前沃尔特·格罗皮乌斯用在佩古斯[Pagus]工厂的技术，通过横向窗户突出水平线。从具

182. 伯雷与林曼（建筑师）：尼亚加拉·莫霍克电力公司，西雪城伊利大道300号，1930—1932年（尼亚加拉·莫霍克动力公司大楼提供图片）。183. 摩根·瓦尔斯与克莱门特（建筑师）：富地石油公司大楼入口，赤陶雕像由海格·皮提根制作。184. 摩根·瓦尔斯与克莱门特（建筑师）：富地石油公司大楼，洛杉矶，黑色和金色陶瓦，1928—1929年（1968年拆毁）。

185. 查尔斯·李（建筑师）：铝制正门入口及售票处，威尔顿剧院，威尔夏大道，洛杉矶，1920—1931年。

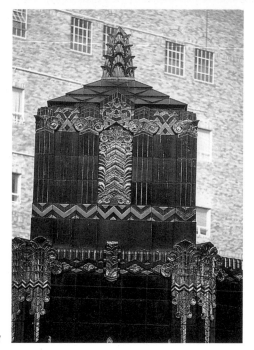

186. B·马克斯·普瑞迪卡（建筑师）：庞特吉斯剧院的观众席侧景，洛杉矶，1929—1930年。187. 建筑立面，佛罗瑞斯特商店，黑色和银色陶瓦，奥克兰，加利福尼亚。

188. 克劳德·比尔曼（建筑师）：百老汇849号，东哥伦比亚大楼，洛杉矶；浅绿色釉面瓷砖，金色陶瓦，内嵌式铜拱肩，1930年（兰朵·米克森提供图片）。

188

有历史主义的芝加哥论坛报大厦到美国暖炉大厦，到现代主义的每日新闻大楼，再到修正的国际主义风格，麦格劳-希尔大厦让胡德的建筑风格再次回归到原点。只有他的用色以及大写的黑体出版社名称沿着花冠排列在大楼的顶部，与国际主义风格完全不同。

　　这个多才多艺的建筑师的第四个重要的现代风格项目是洛克菲勒中心，胡德和富尤与另外两家建筑公司一起合作完成这个项目：莫里斯·雷哈德与霍夫美斯特[Morris，Reinhard & Hofmeister]、科比特[Corbett]、哈里森与麦克莫雷[Harrison & MacMurray]。胡德的贡献主要在最后的草图中，把70层的美国无线电公司大厦[RCA Building]作为洛克菲勒中心[Rockefeller Center]的焦点，削弱了雷哈德和霍夫美斯特的板式塔楼提案，把它变成一系列优雅的、刀刃式的、纯粹退台式装饰，因此也就不需要满足缩放要求了。

　　对于装饰艺术迷来说，洛克菲勒中心是20世纪30年代现代主义

---

189. 罗伯特·Ｖ·迪拉赫（建筑师）；可口可乐装瓶公司工厂，Ｓ·中央大道1334号，洛杉矶，1936年。**190**. 蒂莫西·Ｌ·普鲁格（建筑师）；妇女休息室，低楼层，奥克兰·派拉蒙剧院，百老汇2025号，奥克兰，1931年（图片由国会图书馆提供，华盛顿）。

190

装饰的宝库，如阿尔弗雷德·珍妮特[Alfred Janniot]和保罗·詹尼文的青铜雕塑中楣；雷奈·尚贝朗和保罗·曼希普的青铜像（包括后者的普罗米修斯[Prometheus]雕像）；还有李·劳里[Lee Lawrie]、里奥·弗里德兰德[Leo Friedlander]以及希尔德雷斯·米埃尔[Hildreth Meiere]等人的作品。洛克菲勒中心的室内装饰主要体现在室内设计师唐纳德·德斯基主持修建的无线电城音乐厅内。还有当时最著名的先锋艺术家们的作品：维托尔德·佐敦[Witold Gordon]、路易斯·布歇[Louis Bouche]、威廉·佐拉奇、鲁斯·里夫斯、斯图特·大卫[Stuart Davis]、国吉康雄[Yasuo Kuniyoshi]、爱德华·布克·乌尔赖希[Edward Buk Ulreich]、亨利·瓦纳姆·普尔、亨利·比尔林斯[Henry Billings]、埃兹拉·温特[Ezra Winter]以及最重要的唐纳德·德斯基自己。

　　鲜为人知的戈莱特大楼[Goelet Building]位于第五大道608号、洛

192

克菲勒中心的南面，是纽约最生机勃勃的现代主义装饰（现在是瑞士中心大厦）。原先在入口处的鲜明的法国装饰艺术风格的横梁如今已经不在了，但是大堂和电梯仍保留着。

纽约北部地区则以一座装饰艺术风格的纪念性建筑而自豪，位于雪城的尼亚加拉·莫霍克大楼[Niagara Mohawk Building]，修建于1932年（建筑师为伯雷与林曼[Bley & Lyman]）。其外观完全是本土现代风格：一种对称以阶梯状塔架为终点的金字塔形式，立面采用对比强烈的材料（不锈钢砖和黑色玻璃砖），整体非常陡直，入口处耸立着通体抛光磨圆的迷人雕像。而室内的装饰则主要体现在大堂内。

191. 威特·罗兰德，与斯密斯·欣奇曼与格里尔斯，联合信托公司，主大堂，联合信托公司，底特律，黑色比利时和红色努米底亚大理石以及曼卡托石头。拱形顶棚用卢克伍德瓷瓦，由托马斯·迪·洛伦佐设计成蜂窝状，代表节俭和工业（兰迪·贾斯特提供图片）。

192. 麦克肯兹与塔斯科（建筑师）：零售商店立面，堪萨斯城，韦斯特波特路主街3935—3941号，釉面陶瓦，约1929年（图片由鲍博·巴雷特提供）。

　　在洛杉矶，位于花街6号的里奇菲尔德石油大厦［Richfield Oil Building］（今为大西洋里奇菲尔德大厦）常被认为是最好的装饰艺术风格的建筑（图181、图182）。1928年由摩根·沃斯与克莱门特［Morgan，Walls & Clements］开始筹建，13层高的结构上，耸立着一栋退台式双层塔，信标塔本身高达130英尺。大厦新奇的美学效果主要体现在其黑色釉面陶瓦的建筑表皮［sheath］与垂直陶瓦的金色肋拱［ribbing］相互交叉。沿着护墙［parapet］有一组金色带翅膀的雕像，象征动力，由雕刻家海格·帕蒂吉安［Haig Patigian］创作，配合入口上方的梯形中楣，全部抛光磨圆，形成丰富的对比效果。在色彩缤纷的大堂天花板下，青铜装饰的电梯代替了边缘为卡迪夫绿的比利时黑色大理石墙面。

　　20世纪60年代后期，原本的建筑结构被一对52层高的塔楼所改变（一个是大西洋富田公司，另一个是美国银行）。某些原始的装饰，如电梯门，现在被安装在新建筑的底部。

　　洛杉矶的装饰艺术风格建筑杰作可大致划分成两种类型：20世纪20年代的"锯齿形现代"［zigzag moderne］以及20世纪30年代的"流线型现代"［streamline moderne］（图183、图184）。前者是覆盖现代的、大部分陡直的退台式建筑，主要起源于东岸；后者具有圆角的水平结构，有突出带翼的曲线和护墙，建筑中经常加入玻璃砖以及舷窗以营造出一种空气动力学的运动感。

　　锯齿形的现代结构建筑中最杰出的代表有：洛杉矶市政厅［Los Angeles City］、中心图书馆［Central Library］、赛利格零售商店［Selig Retail Store］、东哥伦比亚大厦［Eastern-Columbia］、庞特吉斯［Pantages］和威尔顿剧院［Wiltern Theatres］、担保和贷款协会大厦［Guaranty and Loan Association Buildings］、奥威亚特大厦［Oviatt Building］、布洛克·威尔希尔百货商店［Bullocks Wilshire］。最后的两

栋建筑的设计直接从巴黎获取灵感。奥威亚特大厦于1928年建成,因雷奈·拉里克和萨蒂耶公司[Saddier et fils]的装饰而特别著名。拉里克负责设计大堂入口——格板、电梯门、信箱以及发光的玻璃天花板。布洛克·威尔希尔百货商店的装饰是由美国和欧洲的艺术家共同完成的。它被完整地保存下来,为今天的历史学家提供了20世纪20年代罕见的百科全书式的先锋艺术记录。

　　20世纪30年代洛杉矶的流线型现代建筑案例包括泛太平洋礼堂[Pan-Pacific Auditorium]、可口可乐装瓶公司厂房[Coca-Cola Bottling Company]、加利福尼亚石油服务站[California Petroleum](位于威尔夏大道)以及许多现已被遗忘的路边餐厅。联合铁路终点站[Union Railroad Terminal]的设计则混合了特殊的流线型现代主义和西

193

193. 鲁布斯与亨特(建筑师):圆塔大楼入口,印第安纳波利斯市场东5号,青铜门和石灰石雕刻,1929—1930年(图片由兰迪·贾斯特提供)。

194

班牙殖民主义风格。

在旧金山，现代主义最具天赋的追随者则是来自J. R. 米勒与T. L. 普鲁格公司[J. R. Miller & T. L. Pflueger]的蒂莫西·L. 普鲁格[Timothy L. Pflueger]，虽然他选择风格化的玛雅主题装饰位于苏特大道450号的医疗卫生大楼[Medical and Dental Building]，这在今天看来也许不合时宜，但在当时可是再寻常不过的事情。更值得一提的是他在整栋建筑的每排窗户之间的宽饰带上刻入象形文字。这看起来就像大型挂毯一般。入口以及大堂不断地重复出现金棕色调的装饰主题。

普鲁格还为旧金山股票交易所[Sandra Francisco Stock]设计午餐吧[Luncheon Club]，但是他的风格在这个时期开始具有强烈的巴黎特色：家具和壁柱,带有宽凹槽的支架，以涡卷纹结束的大写字母，这些都让人想起苏和梅尔早期的作品。普鲁格最著名的建筑成就是奥克兰·派拉蒙剧院[Oakland Paramount Theatre]，他为派拉蒙·帕普利克斯[Paramount-Publix]设计了大型的连锁剧院表演厅，它的宏伟规模适合任何新电影院。

在芝加哥，装饰艺术风格的主要实践者是约翰·A. 霍拉博德[John A. Holabird]以及小约翰·威尔邦·劳特[John Wellborn Root, Jr.]，他们打破了芝加哥的学院派和经典的哥特式，在1928到1930年间，为大量建筑设计了现代风格的装饰，包括帕尔莫利夫大楼[Palmolive Building]、北密歇根333号、芝加哥商品交易所[Chicago Board of Trade Building]以及密歇根广场大楼[Michigan Square Building]。

直接从每日新闻大楼横跨芝加哥河的44层高的芝加哥市民歌剧院

[Chicago Civic Opera Building]，由格拉姆，安德森，普罗布斯特与惠特公司[Graham，Anderson，Probst & White]于1929年建设完工。建筑的外表由一排排圆形窗户和栏杆的退台式装饰所构成。另外，立面由一对迷人的风格化的描绘"喜剧"和"悲剧"的戏剧面具作为装饰。

美国最早的装饰艺术风格的银行大楼无疑是在底特律的新联合信托大楼[Union Trust Building]，由威特·罗兰德[Wirt Rowland]设计（图191）。这栋大楼的现代主义装饰主题和规模完全符合其1929年开放时获得的"金融大教堂"[Cathedral of Finance]称谓。联合信托公司是一个新的银行集团，给予罗兰德很大的发挥空间来设计装饰主题，以营造出银行热心公益的形象。罗兰德接受挑战，用象征进步的中心雕塑装饰正大门，大门两侧有三个大奖章似的圆形图案，分别象征农业、交通以及工业。大门两边的石头雕像则象征着银行机构的权利以及安全（但没有得到持续）。旁边入口上方的拱以瓷砖构成的蜂窝造型（象征着节约与工业）、老鹰造型（象征金钱）以及一根节杖造型（象征权威和商业），延续建筑的主题。

主厅的巨大拱形天花板用明亮的卢克伍德陶瓷砖重复着蜂巢主题。进口的石灰华大理石圆柱、曼卡托石头、比利时黑色大理石以及红色努米底亚大理石墙相互组合，产生了千变万化的效果，衬托出闪耀的蒙奈尔金属电梯门和整洁的柜台。

由于股票市场暴跌，随之而来的金融市场变迁甚至易主——大部分建筑都不得不改造上部的楼层——相比之下，较低楼层的外面装饰基本保持原样。其崇拜者认为这些建筑丰富的装饰甚至超过如洛克菲勒大厦这样的建筑。

直到最近，堪萨斯城出乎意料地成为美国装饰艺术运动的麦加圣地。与美国其他中西部城市不同，例如19世纪的主要城市圣·路易斯，20世纪二三十年代的堪萨斯城出现了建筑繁荣期。那时出现的车库、公寓、商业建筑以及市政大楼直到今日仍保存完好。堪萨斯城市电力照明大楼[Kansas City Power and Light Co.]是最优秀的作品，保留了独特的灯塔以及大堂里几乎全部的金属器。堪萨斯城非常幸运地拥有大量釉面陶瓦建成的中楣，时至今日仍使这座城市的商业建筑增色不少。

同一时期，在辛辛那提建造的两座建筑进展得并没有那么顺利。一座是由费尔海蒙与瓦格纳[Felheimer & Wagner]设计的联合车站，现为临时的购物商城，其外观有一种禁欲主义的宏伟气质，具有国际主义风格的特点，内部则保留了来自本地卢克伍德陶瓷厂瓷砖镶嵌的茶室，温诺德·瑞斯设计的马赛克壁画、水墨石地板，让·布德尔[Jean Bourdelle]设计的妇女休息室的皮革墙面。机器时代镀铬的家具以及通体抛光磨圆，显示出闪闪发亮的现代感的小配件。

另一座则是斯泰利尼德兰广场酒店[Starrett Netherlands Plaza Hotel]，是卡鲁大厦的一部分，与两家大百货商场、车库、餐厅以及商用办公楼同在一个街区[block-long quarters]。酒店的内部最近在重修，带有折中主义风格，但是在学院派、洛可可以及埃及复兴主题中，装饰艺术风格占主导地位。而装饰艺术风格的装饰则主要来自1925年的巴黎；繁复的栏杆以及枝形吊灯，近似洛可可风格的天顶壁画则由埃德加·布兰特设计。欧陆风格的房间、镜厅、棕榈园、海马烛台和卢克伍德陶瓷喷泉，都不自觉地重演着现代的艺术趣味。

印第安纳波利斯圆塔[Circle Tower in Indianapolis，1929—1930]是另一座美国中西部装饰艺术风格的建筑，其阶状金字塔外形刚好符合1922年的城市区划法。雕刻着风铃草、葡萄藤、向日葵等丰富植物母题的石灰石入口的中楣，四周是雕刻有风格化的埃及法老场景的青铜门头装饰[overdoor]，其上有法老、侍臣、野兽。同样的装饰也出现在大堂里面。青铜电梯门、饰板、屏风以及浮雕，都是装饰艺术风格的，与金色纹路交错的黑色大理石和平整的黑色大理石墙形成对比，地板则是由绿灰，奶油色水磨石的拱肩。

堪萨斯城的南面，塔尔萨[Tulsa]以拥有大量著名的装饰艺术建筑为荣。7层高的哈里伯顿–阿伯特百货商场大楼[Halliburton-Abbott department store building]，以斯卡格大楼[Skaggs Building]（弗兰克·C.沃尔特[Frank C. Walter]，1929）而闻名，但最近被拆掉了，沿着檐口，有一条色彩鲜艳的、涡卷叶子组成的陶瓦饰带，陶瓦由西北陶瓦公司[Northwestern Terra Cotta Company]提供。斯卡格大厦的室内，石膏线脚重复着风格化的巴黎主题。吉列–蒂雷尔[Gillette-Tyrell]（由建筑师爱德华·W. 肖恩德斯[Edward W. Saunders]设计）是塔尔萨另一座装饰艺术风格的建筑，其外观采用法国现代陶瓦和石膏装饰。其他难以归类的店铺门面和工厂在颜色和趣味上也采用了一些装饰艺术风格的装饰主题。

美国的迈阿密海滩是最为始终如一的坚持装饰艺术风格建筑的地方，对于工人阶级而言迈阿密真是一个天堂之岛，他们不会遇到北方棕榈滩那种富有并且排外的邻居。这里出现了尝试结合现代主义的独特的色彩以及具有亚热带特色的新装饰艺术风格。这里的建筑具有明显的当地性，仅限制在第5大道和第23大道之间的南迈阿密沙滩约一平方英里的地方，被假日酒店和冬日家庭旅馆所包围的一小块区域中。一般来说，这些建筑的高度相同（不会超过12层或者13层），一些基础的装饰元素以不同的组合不断地重复着，从这条街到那条街：流畅的波浪线、水平线与系列垂直线相交于中点，以布克·罗杰斯式[Buck Rogers-type]的密檐塔楼为终点。各种亚热带特点的颜色——白色灰泥与粉色、绿色、樱桃色、淡紫色穿插相间，薰衣草色的立面或门窗框架的装饰[trim]，产生了多样性的效果。窗户则刻着火烈鸟、鹭、贝壳、棕榈树，其中最重要的是旭日图案。霓虹灯和旗杆使得效果更为完美。

电影院在20世纪20年代期间被誉为"电影宫殿"[movie palaces]，这是大部分美国人对于现代风格唯一的第一手经验。出现在全国各地众多的剧院对于日常生活的磨难来说，是最美好的慰藉。在这里，你可置身于所能想象到的最豪华与最奇异的地方，可以花一个小时沉浸在银幕中偶像[Matinée idol]的奇幻世界里。整栋建筑，即立面、大天幕、入口门厅、大堂以及礼堂，都变成宫殿般的幻境。

首先，现代主义风格的来临，是基于法国装饰艺术运动"流行风格"的流行，意味着仍有另一种本土的装饰风格可供选择。这逐渐成为影院的标准风格，部分原因是由于它很现代，但同时也由于它很豪华。导演诸如马克斯·B.普瑞迪卡[Marcus B. Priteca]以及S. L.（罗索）罗瑟夫委托剧院设计师必须每一英寸都体现现代的、巴黎式的装饰母题——拱肩、分层喷泉、夏日的花束、旭日等。在众多辉煌的剧院中，庞特吉斯[Pantages]剧院以及威尔顿[Wiltern]剧院位于洛杉矶，而派拉蒙[Paramount]剧院位于奥克兰，最近全部都重修恢复到了最初的辉煌景象。同样精彩的剧院还有位于费城的上城剧院[Uptown Theatre]、底特律福克斯剧院[Fox Detroit Theatre]。设计上相对比较朴素的有费城国家剧院、伊利诺伊斯州的帕克里奇剧院[Park Ridge]、伊利诺伊斯州的奥罗拉派特蒙剧院[Paramount in Aurora]、布鲁克林的福克斯、加利福尼亚州卡特琳娜岛的阿瓦隆[Avalon]剧院、布鲁克林的圣乔治剧场[St George Playhonse]。

20世纪30年代，出现了一种更为流线型的现代剧院设计。新的理论是，屏幕作为唯一的焦点，它侧面的装饰，如有的话，主要由巧妙的色彩灯光效果进行协调。过度装饰艺术的庞特吉斯剧院现在已过时。装饰变得更为节制。曲线形式越来越受到重视，如无线电城音乐厅礼堂阶梯的轮廓，最后，艾伯森属地剧院[Eberson's Colony Theatre]的大胆设计传播至整个克利夫兰。其他优秀的流线型剧院设计还包括纽约的厄尔·卡罗尔剧院[Earl Carroll Theatre]、华盛顿的传斯–勒克斯[Trans-Lux]剧院、位于马萨诸塞州丹尼斯的卡普电影院[Cape Cinema]以及查宁大楼[Chanin Building]的会堂建筑（现已全部拆毁）。其中的黑色玻璃、镜子以及镀铬金属片饰板则传达出新的气象。

参考书目

图书（综合）

Battersby, Martin, *The Decorative Twenties*, London, 1969

Brunhammer, Yvonne, *Le Style 1925*, Paris, 1925

Bush, Donald J., *The Streamlined Decade*, New York, 1975

Cheney, Sheldon, and Cheney, Martha Candler, *Art and the Machine: An Account of Industrial Design in 20th Century America*, New York, 1936

Drexler, Arthur, and Daniel, Greta, *Introduction of Twentieth Century Design from the Collection of the Museum of Modern Art*, New York, 1959

Dreyfuss, Henry, *Industrial Design*, Vol. 5, New York, 1957

Duncan, Alastair, *American Art Deco*, London, 1986

Encyclopédie des arts décoratifs et industriels modernes au XXème siècle en douze volumes, Paris, 1925

Frankl, Paul T., *Form and Re-Form*, New York, 1930

Garner, Philippe, *The Encyclopedia of Decorative Arts 1890–1940*, New York, 1978

Greif, Martin, *Depression Modern: The Thirties Style in America*, New York, 1975

Hanks, David A., *Donald Deskey*, New York, 1986

Hennessey, William J., *Russell Wright: American Designer*, Hamilton, Ontario, 1983

Herbst, René, *25 Années: Union des Arts Modernes*, Paris, 1955

Hillier, Bevis, *Art Deco*, London, 1968

Hitchcock, Henry-Russell, and Johnson, Philip, *The International Style*, New York and London, 1966

Janneau, Guillaume, and Benoist, Luc, *L'Exposition internationale des arts décoratifs et industriels modernes*, Paris, 1925

Klein, Dan, *Art Deco*, London, 1974

———, and Bishop, Margaret, *Decorative Art 1880–1980*, Oxford, 1986

Lesieutre, Alain, *The Spirit and Splendour of Art Deco*, London, 1975

McClinton, K. M., *Art Deco: A Guide for Collectors*, New York, 1972

Maenz, Paul, *Art Deco 1920–1940*, Cologne, 1974

Meikle, Jeffrey L., *Twentieth Century Limited: Industrial Design in America 1925–1939*, Philadelphia, Pa., 1979

Pevsner, Nikolaus, *Pioneers of Modern Design from William Morris to Walter Gropius*, New York, 1949; Harmondsworth, Middx, 1960

Read, Herbert, *Art and Industry: The Principles of Industrial Design*, London, 1953; New York, 1954

World of Art Deco, The, London, 1971 (catalogue of exhibition at Minneapolis Institute of Arts)

展览图像（综合）

Brave New Worlds: America's Futurist Vision, The Mitchell Wolfson, Jr., Collection of Decorative and Propaganda Arts, Miami-Dade Community College, Mitchell Wolfson New World Center Campus, Miami, Fla., 1984

Carved and Modeled American Sculpture: 1880–1940, Hirschl and Adler Galleries, New York, 20 April – 4 June 1982

Davies, Karen, *At Home in Manhattan: Modern Decorative Arts 1925 to the Depression*, Yale University Art Gallery, New Haven, Conn., 1983

Design in America: The Cranbrook Vision: 1925–1950, The Detroit Institute of Arts and The Metropolitan Museum of Art, New York, 14 December 1983 – 17 June 1984

Machine Art, The Museum of Modern Art, New York, 6 March – 30 April 1934

Marter, Joan M., and Co., *Vanguard American Sculpture 1913–1939*, Travelling Exhibition, Rutgers State University Art Gallery, Rutgers, N.J., 16 September 1979 – 25 May 1980

Perreault, John, *Streamline Design: How the Future Was*, The Queens Museum, New York, 28 January – 6 May 1984

Reynolds, Gary A., *American Bronze Sculpture: 1850 to the Present*, Newark Museum, Newark, N.J., 18 October 1984 – 3 February 1985

Wilson, Richard Guy; Pilgrim, Dianne H.; and Tashjian, Dickran, *The Machine Age 1918–1941*, The Brooklyn Museum, 17 October 1986 – 16 February 1987

期刊（综合）

American Architect, The, 1925–38

American Magazine of Art, The, 1920–39

Architectural Forum, 1920–40

Architectural Record, 1913–36

Architecture, 1925–36

Art and Architecture, 1925–36

Art and Industry, 1936–40

Art Décoratif, L', 1920–35

Art et Décoration, 1918–35

Art Digest, The, 1926–39

Art et Industrie, 1920–34

Arts, The, 1920–31

Arts and Decoration, 1924–39

Commercial Art and Industry, 1932–35

Creative Art, 1927–33

Dekorative Kunst, 1920–35

Design, 1920–40

Echos d'Art, Les, 1925–30

House and Garden, 1920–37

House Beautiful, 1927–39

Interior Design and Decoration, 1934–36

International Studio, The, 1925–28

Mobilier et Décoration, 1920–39

Pencil Points, 1925–33

Studio, The, 1920–35

Studio Yearbook, The, 1920–37

Vogue, 1925–29

1 家具

Badovici, Jean, *Intérieurs français*, Paris, n.d.

Bujon, Guy, and Dutko, Jean-Jacques, *Printz*, Paris, 1986

Camard, Florence, *Ruhlmann: Master of Art Deco*, New York, 1983

Clouzot, Henri, *Le Style moderne dans la décoration intérieure*, Paris, 1921

Delacroix, Henry, *Intérieurs*

modernes, Paris, n.d.
Deshairs, Léon, *L'Art
décoratif français 1918–1925*,
London and Paris, 1926
————, *Intérieurs en couleurs
France* (Exposition des Arts
Décoratifs, Paris, 1925),
Paris, 1926
Duncan, Alastair, *Art Deco
Furniture*, London and
New York, 1984
Ensembles mobiliers
(Exposition Internationale
des Arts Décoratifs et
Industriels Modernes,
Paris, 1925) 3 vols., Paris
1925–1927
*Jean-Michel Frank, Adolphe
Chanaux*, Editions du
Regard, Paris, 1980
Kjellberg, Pierre, *Art Deco:
Les Maîtres du mobilier*,
Paris, 1981
Mannoni, Edith, and Bizot,
Chantal, *Mobilier 1900–1925*,
Paris, n.d.
Moussinac, Léon, *Le Meuble
français moderne*, Paris 1925
Olmer, Pierre, *Le Mobilier
français d'aujourd'hui
(1910–1925)*, Paris, 1926
————, and Bouche-Leckerq,
*L'Art décoratif français en
1929*, Paris, 1929
Petit Meubles du jour, Paris,
1929
Pierre Chareau, edition of the
Salon des Arts Ménagers,
U.A.M., Paris, 1954
Rapin, Henri, *Intérieurs
présentés au Salon des
Artistes Décorateurs*,
Paris, 1930
Riotor, Léon, *Paul Follot*,
Paris, 1923
Selvafolta, Ornello di, *Il
Mobile del Novecento*,
Milan, 1985
Sironen, Marta K., *History
of American Furniture*,
East Stroudsberg, Pa., 1936
Vellay, Marc, and Frampton,
Kenneth, *Pierre Chareau,
Architect and Craftsman*,
London and New York, 1985

展览图录
Foulk Lewis Collection,
*Ruhlmann Centenary
Exhibition*, 1979
*Meubles et objets
d'architecture dans les
années 1925*, Galerie Maria
de Beyrie, 19 November – 31
December 1976
Ostergard, Derek E.,
*Mackintosh to Mollino:
Fifty Years of Chair
Design*, Barry Friedman
Ltd, New York, 1984
Retrospective Ruhlmann,
Musée des Arts Décoratifs,
Paris, 1934

期刊
Good Furniture, 1920–30

2 纺织品
Benoist, Luc, *Les Tissus, la
tapisserie, les tapis*, Paris, 1926
Delaunay, Sonia, *Tapis et tissus*,
Paris, 1931
Magne, Henri Marcel, *Décor du
tissu*, Paris, 1933
Moussinac, Léon, *Etoffes
d'ameublement tissées et brochées*,
Paris, 1926
Rambosson, Ivanhoe, *Les Batiks
de Madame Pangon*, Paris, 1925
Verneuil, M. Pillard, *Etoffes et
tapis étrangers exposés au Musée
des Arts Décoratifs*, Paris, 1925

3 铁艺与灯饰
Clouzot, H., *La Férronnerie
moderne*, series 1, 3–4, Paris,
1923
Duncan, Alastair, *Art
Nouveau and Art Deco
Lighting*, London, 1983
Henriot, Gabriel, *La
Férronnerie moderne*, Paris,
1923
————, *Luminaire moderne*,
Paris, 1937
————, *Férronnerie du jour*,
Paris, 1929
Janneau, Guillaume, *Le fer,
ouvrages de férronnerie et
de sérrurie dus à des
artisans contemporains*,
Paris, 1924
Pinsard, Pierre, *Meubles
modernes en métal*,
(Librairie des Artistes
Décorateur) Paris, n.d.
Poillerat, Gilbert,
Férronnerie d'aujourd'hui,
Paris, n.d.
Regamey, Raymond, *Le
Férronnier d'art Edgar
Brandt*, (Archives Alsaciennes
d'Histoire de l'Art),
Strasbourg, 1924

期刊
Le Luminaire (Exposition
internationale des arts
décoratifs et industriels
modernes, 1925), 4th series,
Paris, 1926–31

4 银、漆与金属器
Bouilhet, Tony, *L'Orfèvrerie
française au XX siècle*, Paris,
1941
Carpenter, Charles H., Jr.
Gorham Silver 1831–1981, New
York, 1982
Darling, Sharon S., *Chicago
Metalsmiths*, Chicago, 1977
De Bonneville, Françoise, *Jean
Puiforcat*, Paris, 1986
Herbst, René, *Jean Puiforcat,
orfèvre, sculpteur*, Paris, 1951
Hughes, Graham, *Modern Silver
throughout the World,
1880–1967*, London, 1967
Koch, Gladys, and Roas,
Thomas, M., *Chase Chrome*,
Stamford, Conn., 1978
Lorac-Gerbaud, Andrée, *L'Art du
laque*, Paris, 1974
Pinsard, Pierre, *Meubles modernes
en métal*, (Librairie des Artistes)
Paris, n.d.
Prouve, Jean, *Le Métal*, Paris,
1929

展览目录
Jean Dunand, de Lorenzo Gallery,
New York, 1985
Jean Dunand, Jean Goulden,
Galérie de Luxembourg, Paris,
1973

期刊
Kaleidoscope, The, April
1928-January 1933
Metal Arts, 1928–30

5 玻璃
Arwas, Victor, *Glass: Art
Nouveau to Art Deco*, London
and New York, 1977
Barillet, Louis, *Le Verre*, Paris,
n.d.

Florence, Gene, *The Collector's Encyclopedia of Depression Glass*, Paducak, Kentucky, 1977

Gardner, Paul V., *The Glass of Frederick Carder*, New York, 1971

Geffroy, Gustave, *René Lalique*, Paris, 1922

Janneau, Guillaume, *Modern Glass*, London, 1931

Klein, *The History of Modern Glass*, London, 1984

Mourey, Gabriel, *Catalogue des verreries de René Lalique*, Paris, 1932

Neuwirth, Waltraud, *Glass 1905–1925: From Art Nouveau to Art Deco*, Vienna, 1985

Paulsson, Gregor (ed.), *Modernt Svenskt Glas*, Stockholm, 1943

Perrot, Paul N.; Gardner, Paul V.; and Plaut, James S., *Steuben: Seventy Years of American Glassmaking*, New York, 1974

Plaut, James S., *Steuben Glass* (Monographs on American Arts and Crafts, Volume 1), New York, 2nd edition, 1951

Polak, Ada, *Modern Glass*, London, 1962

Rosenthal, Léon, *La Verrerie française depuis cinquante ans*, Paris and Brussels, 1927

展览图录

Fifty Years on Fifth: A Retrospective Exhibition of Steuben Glass, Steuben Glass, New York, 1984

Gardner, Paul V., *Frederick Carder: Portrait of a Glassmaker*, The Corning Museum of Glass, Corning, New York, 20 April – 20 October 1985

Opalescence: La Verre moule des années 1920-1930, Banque Bruxelles-Lambert, 15 October – 29 November 1986

Perrot, Paul N., and Co., *Steuben: Seventy Years of American Glass Making*, Travelling Exhibition, Toledo, Ohio, 1974

6 陶瓷

Dietz, Ulysses G., *The Newark Museum Collection of American Art Pottery*, Newark, N. J., 1984

Fare, Michel, *La Céramique contemporaine*, Paris, 1953

Fontaine, Georges, *La Céramique française*, Paris, 1946

Giacomotti, Jeanne, *La Céramique*, Paris 1933–35

Haggar, Reginald G., *Recent Ceramic Sculpture in Great Britain*, London, 1946

Janneau, Guillaume, *Emile Decoeur, céramiste*, Paris, 1923

LeChevallier-Chevignard, Georges, *Verriers et céramistes*, Paris, 1932

Mourey, Gabriel, *La Manufacture royale de porcelaine de Copenhague à l'Exposition Internationale des Arts Décoratifs*, Paris, 1925

Préaud, Tamara, and Gauthier, Sergé, *Ceramics of the 20th Century*, New York, 1982

Valotaire, Marcel, *La Céramique française moderne*, Paris and Brussels, 1930

展览图录

Anderson, Ross, and Perry, Barbara, *The Diversions of Keramos 1925-1950*, Everson Museum of Art, 9 September – 27 November 1983

Bordeaux Art Deco, Musée des Arts Décoratifs de la Ville de Bordeaux, 28 May – 10 July 1979

Céramiques de René Buthaud, Musée des Arts Décoratifs de la Ville de Bordeaux, 1979

Darling, Sharon S., *Decorative and Architectural Arts in Chicago 1871–1933*, an illustrated guide to the Ceramic Historical Society, Chicago, 1982

Heuser, Hans-Jorgen, *Französische Keramikkunstler um 1925*, Museum für Kunst und Gewerbe, Hamburg, 25 March –22 May 1977

Keen, Kirsten Hoving, *American Art Pottery 1875–1930*, Delaware Art Museum, Wilmington, Delaware, 10 March – 23 April 1978

Catley, Bryan, *Art Deco and Other Figures*, London, 1978

Gamzu, Chaim, et al., *Chana Orloff*, Paris, 1980

Gorham Company, Bronze Division, The, *Famous Small Bronzes*, New York, 1928

Karshan, Donald, *Csaky*, Paris, 1973

Kramer, Hilton, *The Sculpture of Gaston Lachaise*, New York, 1967

Mackay, James, *The Dictionary of Western Sculptors in Bronze*, Suffolk, England, 1977

Opitz, Glenn B. (ed.), *Dictionary of American Sculptors: 18th Century to the Present*, Poughkeepsie, New York, 1984

Parmelin, Hélène, et al., *Bela Voros*, Corvina, Budapest, Hungary, 1972

Proske, Beatrice Gilman, *Brookgreen Gardens Sculpture*, Brookgreen Gardens, S. C., revised edition, 1968

Read, Herbert, *A Concise History of Modern Sculpture*, London and New York, 1964

杂志文章

Marcilhac, Félix, 'Joseph Csaky: A Pioneer of Modern Sculpture,' *The Connoisseur Magazine* (May 1974): 10–17

展览图录

Bush, Martin H., *Boris Lovet-Lorski: The Language of Time*, The School of Art, New York University, Syracuse, April 27 – May 26, 1967

Chana Orloff, The Montgomery Gallery, San Francisco, 1983

Chauvin: Sculptures, L'Enseigne du Cerceau, Paris, October, 1974

Collection Karl Lagerfeld: Art Deco, A. Godeau & P.E. Audap, Hôtel Drouot, Paris, 21 November 1975

Fauns and Fountains: American Garden Statuary, 1890-1930, The Parrish Art Museum, Southampton, New York, 14 April – 2 June 1985

Frackman, Noel, *John Storrs*, Whitney Museum of American Art, New York, 11 December 1986 – 22 March 1987

7 雕塑

Arwas, Victor, *Art Deco Sculpture: Chryselephantine Statuettes of the Twenties and Thirties*, New York, 1975

Gustave Miklos: Exposition Rétrospective, Centre Cultural Aragon, Ville d'Oyonax, 20 December 1983 – 29 January, 1984
Gustave Miklos, Sculpteur: 1888–1967, L'Enseigne du Cerceau, Paris, 25 October – 30 November 1973
Paul Manship: Changing Taste in America, Minnesota Museum of Art, 19 May – 18 August 1985
A Retrospective Exhibition of Sculpture by Paul Manship, Smithsonian Institution, Washington D.C., 23 February – 16 March 1958
200 Years of American Sculpture, Whitney Museum of American Art, New York, 16 March – 26 September 1976

8 绘画、插图、海报与装帧

Ades, Dawn, *The 20th Century Poster – Design of the Avant-Garde*, New York, 1984
Barnicoat, John, *Posters: A Concise History*, London, 1972
Brown, Robert K., and Reinhold, Susan, *The Poster Art of A.M. Cassandre*, New York, 1979
Clouzot, Henri, *Papiers, peints et teintures modernes*, Paris, 1928
Delhaye, Jean, *Art Deco Posters and Graphics*, New York, 1977
Derval, Paul, *The Folies-Bergère*, New York, 1955; London 1956
Kery, Patricia Frantz, *Art Deco Graphics*, New York, 1986
Lepape, Claude, and Defert, Thierry, *From the Ballets Russes to Vogue – The Art of Georges Lepape*, New York, 1984
Lieberman, William S. (ed.), *Art of the Twenties*, New York, 1979
Mouron, Henri, *Cassandre*, London and New York, 1985
Muller-Brockman, Josef, and Shizuko, *History of the Poster*, Zurich, 1971
Packer, William, *The Art of Vogue Covers: 1909–1940*, London and New York, 1967
Weitenkampf, Frank, *The Illustrated Book*, Cambridge, Mass., 1938

展览图录
A Century of Posters 1870–1970, Jack Rennert, New York, 1979
Exposition A.M. Cassandre, Musée des Arts Décoratifs, Paris, 1950
Livres illustrés 1900–1930, Slatkine Beaux Livres, Geneva, *c.* 1984
Painting in France 1900–1967, circulated by the International Exhibitions Foundation, Washington, D.C.: National Portrait Gallery of Art, 1968
Premier Posters by Jack Rennert, New York: Poster Auctions International, 1985
Tamara de Lempicka, Galérie du Luxembourg, Paris, 1972

9 首饰
Battersby, Martin, *Art Deco Fashion: Fashion Designers 1908–1925*, New York, 1984
———, *The Decorative Twenties*, New York, 1969, London, 1976
———, *The Decorative Thirties*, New York, 1971; London, 1976
Becker, Vivienne, *Antique and Twentieth-Century Jewelry*, London, 1980; New York, 1982
Black, J. Anderson, *The Story of Jewelry*, New York, 1974
Bradford, Ernie, *Four Centuries of European Jewelry*, New York, 1953
Cartlidge, Barbara, *Twentieth-Century Jewelry*, New York, 1985
Deboni, Franco (ed.), *Authentic Art Deco Jewelry Designs*, New York, 1982
Garbardi, Melissa, *Les Bijoux de l'art déco aux années 40*, Paris, 1986
Gary, Marie-Noël de, *Les Fouquet*, Musée des Arts Décoratifs, Paris, 1983
Heiniger, Ernst A. and Jean, *The Great Book of Jewels*, Lausanne, 1974
Hinks, Peter, *Twentieth-Century British Jewelry 1900–1980*, London, 1983
Hughes, Graham, *Modern Jewelry*, New York, 1968
Nadelhoffer, Hans, *Cartier*, London and New York, 1984
Raulet, Sylvie, *Art Deco Jewelry*, London and New York, 1984

———, *Van Cleef & Arpels*, New York, 1987

杂志文章
Clouzot, Henri, 'Reflexions sur la joaillerie de 1929,' *Figaro Supplement Artistique* (11 July 1929): 685–688

期刊
The Jeweler's Circular and Horological Review, 1912–1933

10 建筑
Cerwinske, Laura, *Tropical Deco, The Architecture and Design of Old Miami Beach*, New York, 1981
Chanin, Irwin S., *A Romance with the City*, New York, 1982
Cucchiella, S., *Baltimore Deco: An Architectural Survey of Art Deco in Baltimore*, Baltimore, Md., 1984
Ferriss, Hugh, *The Metropolis of Tomorrow*, New York, 1929
Gebhard, David, *L.A. in the Thirties*, Los Angeles, Calif., 1975
———, and Co., *A Catalogue of the Architectural Drawing Collection*, The University Art Museum, University of California, Santa Barbara, Calif., 1983
Gebhard, David, and Winter, Robert, *Architecture in Los Angeles: A Complete Guide*, Salt Lake City, Utah, 1985
Jacoby, Stephen M., *Architectural Sculpture in New York City*, New York, 1975
Krinsky, Carol Herselle, *Rockefeller Center*, New York, 1978
Pevsner, Nikolaus, *The Sources of Modern Architecture and Design*, London and New York, 1968
Robinson, Cervin, and Bletter, Rosemary Haag, *Skyscraper Style: Art Deco New York*, New York, 1975
Varian, Elayne H., *American Art Deco Architecture*, New York, 1975
Whiffen, Marcus, and Breeze, Carla, *Pueblo Deco: The Art Deco Architecture of the Southwest*, Albuquerque, N.M., 1984

索 引

此处页码系原文页码，斜体数字指图版所在页码。——译者注

阿尔托，阿尔瓦 Aalto, Alvar 35
埃布尔，古斯塔夫 Abels, Gustav 97
艾德勒，罗斯 Adler, Rose 160；*152*
阿涅，雅克 Adnet, Jacques 16、34、41、51、111、112
阿涅，让 Adnet, Jean 34、41、111、112
非洲影响 African influences 8、32、39、79、130、167、173
阿什拉格尔，沃尔特 Ahlschlager, Walter 202
阿拉斯泰尔 Alastair 149
艾尔伯斯，安妮 Albers, Annie 46、54
约瑟夫，阿尔伯斯 Albers, Josef 101
阿尔布开克，N.M.，基摩剧院 Albuquerque, N.M., KiMo Theatre 184
阿力克西夫，亚历山大 Alexeieff, Alexander 156
艾利克斯，夏洛特 Alix, Charlotte 101
条条大路通瑞士（马特）*All Roads Lead to Switzerland*(Matter) 155
安美特斯，艾蒙德 Amateis, Edmond 141
美国 America 见 U.S.A
"美国现代"晚餐餐具（赖特）"American Modern" dinner service(Wright)120
安德森，J.S. Anderson, J.S. 156
安德烈·弗与吉亚尔 André Fau & Guillard 111
动物 animals,
　　绘画 in painting. 147
　　雕塑 in sculpture 130—131、133
阿波利奈尔，吉洛姆 Apollinaire, Guillaume 161
阿布斯，安德烈−莱昂 Arbus, André-Léon 34
阿基彭库，亚历山大 Archipenko, Alexander 128、132
阿基−卢梭琉璃公司 Argy-Rousseau 95；*93、94*

新艺术运动 Art Nouveau 7、61、65、76
工艺美术运动 Arts and Crafts Movement 104
巴黎装饰艺术运动（勒德吕）*Arts Décoratifs de Paris* (Ledru)98
阿茨贝格陶瓷作品 Arzberg Porcelain Works 118
阿特金森，R. Atkinson, R.180
乐·蓬·马歇尔（文森特）Au Bon Marché
(Vincent) 154
奥贝尔，菲利克斯 Aubert, Félix 110
奥格腾 Augarten 113
奥罗拉派特蒙剧院，伊利诺斯；Aurora, Illinois; Paramount Theatre 205
奥地利 Austria,
　　陶瓷 ceramics 106—107
　　玻璃 glass 98
　　雕塑 sculpture 126—127
　　纺织品 textiles 45—46
埃文森，保罗 Avesn, Paul 92—93
阿泽马，埃德雷与哈迪（建筑师）Azema, Edrei & Hardy (architects)*164*

巴赫，奥斯卡 Bach, Oscar 63—64
培根，弗朗西斯 Bacon, Françis 54；*49*
巴德威克，让 Badovici, Jean 30
巴格，埃里克 Bagge, Eric 110、113、170
贝克，约瑟芬 Baker, Josephine 151、155、167
巴克斯特，莱昂 Bakst, Léon 23、37、122、147、165
玩球的女孩（赫拉德）*Ball Playing Girls* (Hald) 97
俄罗斯芭蕾舞剧 Ballets Russes 23、37、39、122、147、165
巴尔的摩战争纪念馆（安美特斯）Baltimore War Memorial （ Amaties）

141
巴比尔，乔治 Barbier ,George 148—149、161; *144*、*154*
巴里特，路易斯 Barillet Louis 101、102
巴洛，托马斯爵士 Barlow, Sir Thomas 43
巴雷，伊丽莎白 Barrett, Elizabeth 117
巴伦，菲利斯 Barron, Phyllis 44
巴尔都，路易斯 Barthou, Louis 160
拜耶，安东尼-路易斯 Barye, Antonie-Louis 130、147
鲍迪斯，古顿 Baudisch, Gudrun 106
包豪斯运动 Bauhaus Movement 9—10、35、36、38、46—47、75、101、118、170
鲍伯格，奥托 Baumberger, Otto 155
贝里奇定制（陶瓷）Bay Ridge Speciality (ceramics) 119
比尔，乔治斯 Beal，Georges 91
布鲁，G. Beau, G.178
博蒙特，让 Beaumont, Jean 42; *109*
贝克曼，海德维格 Beckemann, Hedwig 54
《贝达加》（克拉克）Bedaja (Clark) 140
比尔曼，克劳德 Beelman, Claude 188
贝·盖得斯，诺尔曼 Bel Geddes, Norman 73
比利时 Belgium,
　玻璃 glass 98
　银 silver 75
　纺织品 textiles 47
贝尔，瓦内萨 Bell,Vanessa 42、43、116
贝林，鲁道夫 Belling, Rudolf 124
贝尔佩隆，苏珊娜 Belperron, Suzanne 165、171
本尼迪克图斯，爱德华 Benedictus, Edouard 51
本尼托，爱德华·加西亚 Benito, Edouard Garcia 148、149
拜诺伊什，亚历山大 Bénois, Alexandre 37
本顿，托马斯 Benton,Thomas 100
贝拉尔，弗兰斯汀 Bérard, Christian 26
博杰，亨利 Bergé, Henri 95
贝克奎斯特，克努特 Berkqvist, Knut 97
贝纳多特，西格瓦尔多 Bernadotte, Sigvard 75
伯纳德，约瑟夫 Bernard, Joseph 63
伯纳德，奥利弗 Bernard, Oliver 101、180
伯纳德，卢西安 Bernhard, Lucien 156
伯劳特，A. Bertraut,A. 160
贝纳德，让 Besnard, Jean 105
贝托，T. Betor,T. 55
英国，贝克斯希尔滨海，"战争馆" Bexhill-on-Sea, England. De La Warr Pavilion 101、180
拜耶，亨利-保罗 Beyer, Henri-Paul 105
比尔林斯，亨利 Billings, Henry 192
平德，约瑟夫 Binder, Joseph 149、156
伯奇，M.H. 公司 Birge, M.H., & Co. 47
比辛格尔，约翰·W. Bissinger, John W. 36
布雷与里曼（建筑师）Bley & Lyman (architects) *181*、*182*
布洛特，罗伯特 Block, Robert 34
布兰德特，马克斯 Blondat, Max 110、127
布鲁门萨尔，佛罗伦斯 Blumenthal, Florence 160
布鲁门萨尔，乔治 Blumenthal, George160
多伯曼 Doberman 51
鲍勃瑞斯奇，维拉米尔.V. Bobritsky, Vladimir V. 149、156
勃姆，恩斯特 Boehm, Ernst 55
布瓦罗，L.-H. Boileau, L.-H.,178
波林，乔治 Bolin, George 150
博纳特，保罗 Bonet, Paul 160、161
邦菲斯，罗伯特 Bonfils, Robert 110、148、161、
博纳尔，罗萨 Bonheur, Rosa 147
伯尼法斯 Bonifas 111
伯纳特，皮埃尔 Bonnard, Pierre 104
博纳特，让 Bonnet, Jean 51, 91

布歇，路易斯 Bouché, Louis 192
宝诗龙 Boucheron 170、171、174
布歇，莱昂 Bouchet, Léon 36
波林，A. Bouraine, A.127
波林，马塞尔 Bouraine, Marcel 123、124
布德尔，安东尼 Bourdelle, Antonie 63
布德尔，埃米尔 Bourdelle, Emile 140
布德尔，让 Bourdelle, Jean 202
布泰，德·蒙维尔·贝纳德 Boutet, de Monvel, Bernard 148
布弗里，戴维·普莱德尔 Bouverie, David Pleydell 54
布朗·朱尔斯，Bouy, Jules 28、50、64
博维斯·马塞尔，Bovis, Marcel 41
布拉德利，T. Bradley, T. 42
布兰库斯，康斯坦汀 Brancusi, Constantin 128、130
布兰特，埃德加 Brandt, Edgar 12、57—58、61、63、64、66、68、147、203；*50、51、52*
布兰特，马里安 Brandt, Marianne 118
布兰特，保罗 Brandt, Paul 168、170、171；*160*
布朗温，弗兰克爵士 Brangwyn, Sir Frank 54、116
勃拉克，乔治斯 Braque, Georges 32、41、134、170
布列汉，马克斯 Brehan, Max 118
布雷豪斯，弗里兹·A Brehaus, Fritz A. 47
布劳耶，马歇尔 Breuer, Marcel 30、101
使馆法院公寓，布莱顿，英国 Brighton, England, Embassy Court Flats 101、180
布里索，皮埃尔 Brissaud, Pierre 148
英国 Britain,
　建筑 architecture 179—180
　地毯 carpets 54
　陶瓷 ceramics 115—116
　家具 Furniture 27
　玻璃 glass 98
　纺织品 textiles 42—43

纽约布鲁克林 Brooklyn, N.Y.
　福克斯剧院 Fox Theatre 205
　　圣乔治剧场 St George's Playhouse 205
布朗，格雷戈里 Brown, Gregory 42
布鲁尔，安德烈 Bruel, André 161
布鲁内莱斯基，安倍托 Brunelleschi, Umberto 148
布鲁塞尔斯托克雷特宫 Brussels, Palais Stoclet 23
布伽缇，轮布朗特 Bugatti, Rembrandt 131
布卢，H.J. Bull, H.J. 42
伯克，卡米拉 Burke, Camilla 45
伯克哈尔特，让 Burkhalter, Jean 34、41、51、175
布什-布朗，莉迪亚 Bush-Brown, Lydia 48
布托，雷奈 Buthaud, René 105—106、143、146、154—155；*103、105、141、148*
拜占庭影响 Byzantine influences 80

卡纳普，乔治斯 Canape, Georges 161
卡皮尔罗，莱昂纳多 Cappiello, Leonetto 150
卡德，弗雷德里克 Carder, Frederick 99；*99*
卡鲁，让 Carlu, Jean 150、151
卡特，霍华德 Carter, Howard 167
卡桑德（阿道夫·莫龙）Cassandre (Adolphe Mouron) 150、151、153、170；*147*
加利福尼亚州卡特琳娜岛阿瓦隆剧院 Catalina Island, Calif., Avalon Theatre 205
卡托，查尔斯 Catteau, Charles 113—114
凯特，朱尔斯 Cayette, Jules 95
卡佐，亨利 Cazaux, Henri 113
尚贝朗，雷奈 Chambellan, René 141、190、192
夏农，阿道夫 Chanaux, Adolphe 12、25
香奈儿，可可 Chanel, Coco 167
查宾，科妮莉亚 Chapin, Cornelia 133

查佩特，恩斯特 Chaplet, Ernest 104

夏罗，皮埃尔 Chareau, Pierre 9、34—35、51、54、68、101；*30*

查尔顿 Charlton *163*

尚梅-圭乐尔，夏洛特 Chaucet-Guillère, Charlotte 111

尚美 Chaumet 168、170

加尔文，让·加布里埃尔 Chauvin, Jean Gabriel 128、130

《北部铁路》（卡桑德）*Chemin de Fer du Nord* (Cassandre) 153

谢雷特，朱尔斯 Cheret, Jules 150

切尔马耶夫，希尔盖 Chermayeff, Serge 19、27、101、180

夏洛，阿尔伯特 Cheuret, Albert 68；*62*

芝加哥 Chicago,

芝加哥交易所大厦 Chicago Board of Trade Building 199

芝加哥市民歌剧院 Chicago Civic Opera Building 199

芝加哥每日新闻大楼 *Chicago Daily News* Building 199

芝加哥论坛报大楼 Chicago Tribune Tower 180、190

密歇根广场大楼 Michigan Square Building 199

帕尔莫利夫大楼 Palmolive Building 199

齐巴鲁斯，德米特里 Chiparus, Demêtre 122—123、126；*120*

克里斯托弗，查尔斯 Christofle, Charles 72

金和象牙（青铜和象牙雕塑）Chryselephantine (bronze and ivory sculpture) 121—127

辛辛那提 Cincinnati,

斯泰利尼德兰广场酒店 Starrett Netherlands Plaza Hotel 202—203

联合车站 Union Terminal 202

克拉克，艾伦 Clark, Alan 140

俄亥俄州克利夫兰 属地剧院, Cleveland, Ohio, Colony Theatre 205

克里夫，克拉瑞斯 Cliff, Clarice 115—116; 115、116

克鲁佐，马里安 Clouzot, Marianne 42、105

考尔德，马塞尔 Coard, Marcel 32—33

科茨，威尔斯 Coates, Wells 101、180

科克伦，C.B. 爵士 Cochran, C.B.124

科克托，让 Cocteau, Jean 26、100、161

科莱特 Colette 161；*152*

科林，保罗 Colin, Paul 150、151

科里涅特，克莱尔 Colinet, Claire 123

科拉，阿希尔 Collas, Achille 126

寇莫，欧亨尼奥 Colmio, Eugenio 114

柯莱特，阿里斯蒂 Colotte, Aristide 87；*83*

法国艺术公司 Compagnie des Arts Français, La 111—112

结构主义 Constructivism 7、43、46、76、128、132、151、166

库伯，奥斯汀 Cooper, Austin 156；*151*

库珀，苏思 Cooper, Susie 115

科蒂，弗朗索瓦 Coty, François 88、90

库贝，马塞尔 Coupe, Marcel 51

考恩陶瓷 Cowan Pottery 107

瑰柏翠，威廉 Crabtree，William 180

卡兰布鲁克学院 Cranbrook Academy 55、109

德·克鲁扎特，恩斯特 de Crauzat, Ernest 160

德·瑞福特，约瑟 de Creeft, José 138

格瑞特，乔治斯 Cretté, Georges 147、159、160、161

克鲁兹沃尔特，亨利 Creuzevault, Henri 161

克鲁兹沃尔特，卢西安 Creuzevault, Lucien 161

卡萨基，约瑟夫 Csaky, Joseph 51、128—129

立体主义 Cubism 7—8、32、39、53—54、71、76、100、128—130、132、141、143、151、166

《丘比特与鹤》（詹尼文）Cupid and Crane(Jennewein) 135

《丘比特与蹬羚》（詹尼文）Cupid and Cazelles（Jenewein）135
库托里，玛丽 Cuttoli, Marie 41、51
捷克斯洛伐克，玻璃 Czechoslovakia, glass 98

达·席尔瓦·布鲁恩斯，伊凡 da Silva Bruhns, Ivan 53—54、55；*46、47*
达利，萨尔瓦多 Dali, Salvador 26、100
丹茂斯，阿尔伯特·路易斯 Dammouse, Albert Louis 93
达蒙 Damon 65—66
舞蹈（维特斯）Dancing(Vertès) 156
达纳尼斯 Daranges 41
达茜 Darcy 47
多姆 Daum,66、68、85—86；*53、82*
多姆，保罗 Daum, Paul 85
杜拉，莫里斯 Daurat, Maurice 74、81；*78*
大卫，费尔南德 David, Fernand 127
大卫，斯图特 Davis, Stuart 192
德科，埃米尔 Decoeur, Emile 104
德科西蒙，费朗索瓦-埃米尔 Décorchemont, François-Emile 92、93—94
德拉贝斯，让-西奥多 Delabasse, Jean-Théodore 91
德拉克罗瓦，费迪南 Delacroix, Ferdinand 147
德拉哈切，奥古斯特 Delherche, Auguste 104
迪·拉梅尔，雅克·L Delamarre, Jacques 190；*177—178*
德拉特，安德烈 Delatte, André 88
德劳内，索尼娅 Delaunay, Sonia 41、146
德莱恩，爱德华 Delion, Edouard 61
德拉摩，拉斐尔 Delorme, Raphael 143、144、146、
戴尔汤比，保罗 Deltombe,Paul 51
德拉瓦 Delvaux 88
德文尼，雷奈 Delvenne,René 98
德慕斯，查尔斯 Demuth, Charles 108

丹尼斯，马萨诸塞州，卡普电影院 Dennis, Mass., Cape Cinema 205
丹尼斯，莫里斯 Denis, Maurice104、142、161
丹麦 银 Denmark. silver 75
丹诺尔，莫德斯特 Denoel Modeste 98
德兰，安德烈 Derain, André 82、104
德伦尼 Derenne 123
德赫，罗伯特.V. Derrah, Robert V. *189*
迪斯康普斯，让·伯纳德 Descomps, Jean Bernard 95
德斯基，唐纳德 Deskey, Donald36、47、50、69、102、192；*31、40、64*
德普雷，让 Desprès, Jean 74、165、170、68
德瓦利埃，理查德 Desvallières, Richard 61
底特律 Detroit,
    底特律福克斯剧院 Fox Detroit Theatre 205
    新联合信托大楼 Union Trust Building 199—201
迪·洛伦佐，托马斯 Di Lorenzo, Thomas 191
佳吉列夫，希尔盖 Diaghilev, Serge37、147
迪德里希，威廉·亨特 Diederich, Wilhelm Hunt 64、100、109、132、134、135；*59*
迪厄帕尔，亨利 Dieupart, Henri 67、92
迪杰奥-邦佐瓦，埃利斯 Djo-Bourgeois, Elise 50、51、175
多布森，弗兰克 Dobson, Frank 42
《海豚喷泉》（拉雪兹）Dolphin Fountain （Lachaise)137
多梅尔格，让·加布里埃尔 Domergue, Jean Gabriel 143、144
多恩，马里恩 Dorn, Marion 38、43、45、54、55
杜塞，雅克 Doucet, Jacues 25、29、31、158
道烈沃陶瓷公司 Doulevo Ceramics 119

德萨 Drésa 51
德奥特，拉斐尔 Drouart, Raphael 161
迪比森，玛格丽特 Dubuisson, Marguerite 42
杜多芬奇，马尔塞洛 Dudovich, Marcello 156
杜费特，迈克尔 Dufet, Michel 34
杜弗雷纳，莫里斯 Dufrène, Maurice 18、19、27、41、42、50、51、111、178；14
迪弗雷纳，查尔斯 Dufresne, Charles 42
杜菲，让 Dufy, Jean 111
杜菲，劳尔 Dufy, Raoul 40、41、51、111、146；35、36
杜马斯，保罗 Dumas, Paul 39、41
杜摩兰，乔治斯·马塞尔 Dumoulin, Georges Marcel 85
杜纳米 Dunaime 91
杜南德，让 Dunand, Jean 12、15、31、79、147、160、161、168；7、24、25、26、76、77、153
杜帕斯，让 Dupas, Jean 106、110、142、143、144、146、154；6、139
特普雷-拉菲，保罗 Dupré-Lafon, Paul 34
迪索芬 Dusausoy 170

艾伯哈特，艾迪斯 Eberhart, Edith 34
马丁学校 Ecole Martine 23、39；34
爱丁堡织工厂 Edinburgh Weavers 42—43
埃及影响 Egyptian influences 8、167
艾克曼，约翰 Ekman, Johan 96
英格兰 England 见 Britain
艾尔特 Erté 148—149
《北方之星》（卡桑德）Etoile du Nord (Cassandre) 153
巴黎国际博览会，巴黎 Exposition (1925), Paris 8、153、18—23、39、42、47、57—58、61、63、65、91—92、39、42、57—58、61、63、65、91—92、101—107、111—112、175—178；164、165、166

费比，布尔 Faiby, Abel 27

蒙特罗陶瓷厂 Faiencerie de Montereau 112
野兽主义 Fauvism 39、82
法维，亨利女士 Favier, Mme Henri 51
法弗尔，乔治斯 Favre, Georges 146
费罗 Fayral 123
费纳特，约瑟夫 Fennecker, Josef 155
菲隆，塞尔维 Féron, Sylvie 47
费尔泰，路易斯 Fertey, Louis 170
"嘉年华"餐具（雷德）'Fiesta' tableware(Rhead) 120
弗杰汀格斯特，克里斯汀 Fjerdlingstad, Christian 74
弗拉纳根，约翰 Flannagan, John 138
弗洛格，马蒂尔德 Flögl, Mathilde 45、46
苏格兰飞人（马福特）Flying Scotsman (Marfurt) 155
民间影响 folk at influence 39、48
弗洛特，保罗 Follot, Paul7、9、18—19、41、50、51；13
丰唐，里奥 Fontan, Léo 23；17
《第一空间中的形式》（斯托斯）Forms in Space No. ! (Storrs) 141；137
富尤·安德烈 Fouilhoux, André 190—191
《微量泉》（格雷戈里）Fountain of the Atomas'（ Gregory) 108
富凯，乔治斯 Fouquet, Georges 162、170、173
富凯，让 Fouquet, Jean 167、168、170、171；161
法国 France
　建筑 architecture 175—179
　装帧 bookbinding 157—161
　地毯 carpets 50—54
　家具 furniture 11—26、28—35
　玻璃 glass 82—93
　平面 graphics 147—149
　铁艺 ironwork 57—63
　首饰 jewelry 162—166、167—173
　漆 lacquer 79
　灯饰 lighting 65—68

金属器 metalware 80—81

绘画 painting 142—147

脱蜡铸造法 *pâte-de-verre* 93—95

海报 posters 150—155

雕塑 sculpture 121—124、128—131、

银 silver 71—74

纺织品 textiles 37—42

弗兰克，让-迈克尔 Frank Jean-Michel 12、25—26、37；*21*

弗兰克，保罗·T Frankl, Paul T. 36；*32*

弗雷泽，克劳德·罗瓦特 Fraser, Claude Lovat 42

法米尔特，艾曼纽 Frémiet, Emmanuel 130

弗里德兰德，莱昂 Friedlander, Leo 192

弗里德兰德-威尔登海恩，玛格丽特 Friedlander-Wildenhain, Marguerite 118

费旭慕斯-惠特尼，哈利特 Frishmuth, Harriet Whitney 133；*128*

弗尔斯特，埃德温·W Fuerst, Edwin W. 100

功能主义 functionalism 9、97、118

未来主义 Futurism 7、132、151、166

《未来主义宣言》（马丽尼蒂）Futurist Manifesto (Marinetti) 166

嘉伯，蒂姆 Gabo, Naum 102

加布里埃尔，雷奈 Gabriel, René 41、50

现代奋力画廊 Galérie de L'Effort Moderne (Paris) 128

老佛爷百货公司 Galeries Lafayette 111

盖勒，埃米尔 Gallé Emile 82、97

盖特，西蒙 Gate, Simon 96—98, 99

高迪萨德，F. Gaudissard, F. 42；*6*

盖迪斯，诺曼，贝尔 Geddes, Norman Bel 77

甄索里，莫里斯 Gensoli, Maurice 110

杰拉蒂，约瑟夫 Geratti, Joseph *136*

格尔达贡 Gerdago 126

籍里科，西奥多 Géricault Théodore 147

杰曼，路易斯 Germain, Louise 161

德国 Germany,

　地毯 carpets 54

　功能主义 functionalism 9—10

　家具 furniture 26—27

　雕塑 sculpture 121、124—126

　银 silver 75

　纺织品 textiles 46-4vccv7

格什玛，查尔斯 Gesmar, Charles 150、151

贾科梅蒂，阿尔贝托 Giacometti, Alberto 26

吉丁，夏侯 Gidding, Jaap 47

盖得，安德烈 Gide, André 158、161

吉古，路易斯 Gigou, Louis 61

吉尔，埃里克 Gill, Eric 45、100

格拉斯哥运动 Glasgow movement 9

戈德沙伊德，亚瑟公司（陶瓷）Goldscheider, Arthure(porcelain) 113、127

《莎拉布特高尔夫》（文森特）*Golf de Sarlabot* (Vincent) 154

冈查洛娃，娜塔莉亚 Goncharova, Natalia 155

古德哈特，H.S. Goodhart-Rendel, H.S 180

佐敦，维托尔德 Gordon, Witold 192

戈里弗 Gorinthe 66

高尔登，让 Goulden, Jean 31、80

古皮，马塞尔 Goupy, Marcel 88、111；*87*

古戈尔，巴隆 Gourgaud, Baron 158

格拉法特，查尔斯 Graffart, Charles 98

格兰杰，吉纳维芙 Granger, Geneviève 91

格兰特，邓肯 Grant, Ducan 42、43—44、116

格兰特，埃塞尔 Grant, Ethel 43

格雷，艾琳 Gray, Eileen 12、28—30、54；*22*、*23*

《希腊舞》（詹尼文）*Greece Dance*(jennewein) 136

格雷戈里，约翰 Gregory, John 133

格雷戈里，韦兰·德·桑第斯 Gregory, Wayland De Santis 107—108；*107*

格雷威斯 Greiwirth, 156

格雷奇，海曼博士 Gretch, Dr.Hermann 118
格瑞斯，胡安 Gris, Juan 141
格罗皮乌斯，瓦尔特 Gropius, Walter 101、118、190
格罗斯，哈依姆 Gross, Chaim 138
格罗泰尔，迈亚 Grotell, Majia 109
古鲁特，安德烈 Groult, André 12—22、41、50、53、146；15、16、33
格鲁伯·雅克 Gruber, Jacques 101
圭尔，保罗 Gruel, Paul 161
戈登，柯莱特 Guéden Colette 51
盖诺，阿尔伯特 Guénot, Albert 101
圭比 Guerbe 124
吉吉雄，苏珊娜 Guiguichon, Suzanne 51
格拉德 Guillard 91
吉拉德-维里尔，莫里斯 Guirard-Riviére, Maurice 123
古尔布兰森，诺拉 Gulbrandsen, Nora 116
古斯塔夫斯贝里陶瓷公司 Gustavsberg porcelain works 116

希撒，保罗 Haesaerts, Paul 47
海伦，查尔斯 Hairon, Charles 110
哈尔德，爱德华 Hald, Edward 96—97、99；97
哈里德与阿洛特 Halliday & Agate 180
菅原精造 Hamanaka, Katsu 12
汉尼奇，玛丽 Hannich Marie 54
哈朗，劳尔 Harang, Raoul 51
哈德斯 Harders 124
哈瓦那，拉伦纳加（卡鲁）*Havana Larranaga* (Carlu) 151
哈文登，阿什利 Havinden Ashley 43
希尔，安布罗斯爵士 Heal, Sir Ambrose 27
希顿，莫里斯 Heaton, Maurice 69
赫巴德，安德烈 Hébrard, Adrien 82—83
海利根斯腾，奥古斯特-克劳德 Heiligenstein, Auguste-Claude 88；88
海尔德，约翰 Held, John, Jr. 150

亨利，伊莲娜 Henri, Hélène 53-54
亨切尔，威廉 Hentschel, William 117
赫普沃斯，芭芭拉 Hepworth, Barbara 43
赫布斯特，雷奈 Herbst, René 9、34、41、51
《啤酒》《霍尔维恩》*Herkulas-Bier* (Hohlwein)155
海瑟，布罗哈德 Hesse Brechard 54
希瑞艾，J. Hiriat, J.178
希尔茨，M. Hirtz, M. 170
霍夫曼，约瑟夫 Hoffmann, Josef 45、46、107、113；104
霍夫曼，帕拉 Hoffmann, Pola 36、47、55、69
霍夫曼，沃尔夫冈 Hoffmann, Wolfgang 36、47、69
霍夫美斯特 Hofmeister 191
荷加斯，玛丽 Hogarth, Mary 43
霍尔维恩，路德维希 Hohlwein, Ludwig 155
霍拉博德，约翰 A. Holabird, John A. 199
霍尔顿，查尔斯 Holden, Charles 180
胡德，雷蒙·M. Hood, Raymond M.180、190—191；179
典藏酒店（鲁尔曼）Hotel du Collectionneur (Ruhlmann) 178
郝里龙，安德烈 Houillon, André 95
豪威尔，约翰·米德 Howells, John Mead 180、190；179
亨利贝拉，安德烈 Hunebelle, André 93
赫丽，爱德华·T. Hurley, Edward T. 177

艾卡托，路易斯 Icart, Louis 146-147；142
"伦敦创意屋" Ideal House, London 180
"法国岛号"邮轮（远洋油轮）*Ile-de-France*(oceanliner) 18、57、58
印第安纳波利斯圆塔大楼 Indianapolis, Ind.；Circle Tower Building 203；193
安格兰，马克斯 Ingrand, Max101
安格兰，保拉 Ingrand, Paula 101
艾奥尼迪斯，巴热尔 Ionides, Basil 101
艾瑞伯，保罗 Iribe, Paul 7、25、31、158；

20、33、*143*

贾洛特，莱昂-阿尔伯特 Jallot, Leon-Albert 20—21、41

贾洛特，莫里斯 Jallot, Maurice 12、18、21、58

简 Janle 123

珍妮特，阿尔弗雷德 Janniot, Alfred 192；*8*

佐尔孟斯，古斯塔-路易斯 Jaulmes, Gustave-Louis 42、110

"爵士"大汤碗"Jazz"punchbowls (Schreckengost) 108

吉夫斯，佐敦 Jeeves, Gordon 180

詹尼文，卡尔·保罗 Jennewein, Carl Paul 132、135—136、141、192；*131*、*132*

詹森，乔治 Jensen, Georg 75、76

詹森，珍斯 Jensen, Jens 117

约尔，贝迪 Joel Betty 27、54

朱伯特，雷奈 Joubert, René 20

茹尔丹，弗朗西斯 Jourdain, Francis 9、11、41、50、54；*48*

佐菲，保罗 Jouve, Paul 31、63、131、147、161

容尼克尔，路德维希·亨利 Jungnickel, Ludwig Heinrich 46

《咖啡丛林》（霍尔维恩）Kaffee Hag (Hohlwein) 155

卡格，威廉 Käge, Wilhelm 116；*117*

科恩，伊利·雅克 Kahn Ely Jacques 28、184—185、186；*175*

堪萨斯城市电力照明大楼 Kansas Kansas City Power and Light Co, 201

肯塔克，沃尔特 Kantack, Walter 36、69—70

卡拉斯，伊隆卡 Karasz, Ilonka 28、48、69

卡拉斯，玛丽斯卡 Karasz, Mariska 48

凯利提，亚历山大 Kéléty, Alexandre 6、123；*1*、*121*

肯特，罗克韦尔 Kent, Rockwell 78、150

卡拉米斯 Keramis 111、113—114

基弗，雷奈 Kieffer, René 160—161

《所罗门王》和《示巴女王》（盖特）King Solomon and the Queen of Sheba (Gate) 98

杰斯，保罗 Kiss, Paul 61、66；*57*

克里，保罗 Klee, Paul 47

克莱因，雅克 Klein, Jacques 51

可莱泽，洛伦兹 Kleiser, Lorentz 48

赖特，劳拉 Knight, Laura 116

科尔曼，埃蒂安 Kohlmann, Etienne 41

国吉康雄 Kuniyoshi, Yasuo 192

拉贝，杰曼 Labaye, Germaine 41

拉雪兹，加斯顿 Lachaise, Gaston 132、134、136—137；*137*

拉什纳尔，艾德蒙 Lachenal, Edmond 105、114

拉克洛什 LaCloche 168、170、171；*157*

拉克鲁瓦，博瑞斯 LaCroix, Boris 66

莱斯利，阿尔伯特 Laessle, Albert 133

拉菲涅，保罗 Laffillée Paul 61

拉里克，雷奈 Lalique, René 66—67、68、82、88、90—91、94、162、197；*89*、*90*、*91*

拉里克，苏珊娜 Lalique, Suzanne 111

拉勒芒，罗伯特 Lallemant, Robert 112

兰博，威廉 Lamb, William F.186

兰伯特-鲁奇，让 Lambert_Rucki,Jean 31、79、129、143；*7*、*138*

拉穆尔德迪厄，劳尔 Lamourdedieu, Raoul 127

纳奈，吕克 Lanel, Luc 74

朗格 R.W. Lange, R.W. 124

朗格兰德，珍妮 Langrand, Jeanne 161

兰诺，查尔斯 Lanoe, Charles 161

朗文，珍妮 Lanvin, Jeanne 143

拉普朗什 Laplanche 91

拉普拉德，A. Laprade, A.178

《立体之一之后》（欧珍方与勒·柯布西耶）*L'Après le Cubisme* (Ozenfant and Le Corbusier) 35

拉尔谢，多罗西 Larcher Dorothy 44

拉叙德里女士，Lassudrie, Mme 41

大西洋号（卡桑德）L'Atlantique（Cassandre）153

大西洋号（远洋轮船）L'Atlantique(oceanliner) 18、147

洛热，马克斯 Lauger, Max 114

洛朗桑，玛丽 Laurencin, Marie51、100、146；15、45

劳伦斯，亨利 Laurens, Herni 128、141

劳伦特，皮埃尔 Laurent, Pierre 15

劳伦特，罗伯特 Laurent, Robert 123、132、134、138

罗维，李 Lawrie, Lee 141、192

勒·邦佐瓦，加斯顿 – 艾蒂安 Le Bourgeois, Gaston-Etienne 61、110

勒·柯布西耶 Le Corbusier 9、30、34、35、100、175

勒·法盖斯，皮埃尔 le Faguays, Pierre124、127；122、124

勒舍瓦利耶 – 舍维尼尔，乔治斯 LeChevallier-Chevignard, Georges 110

李，S. 查尔斯 Lee, S. Charles 185

莱热，费尔南德 Léger, Fernand 41、48、51、142

勒格朗，皮埃尔 Legrain, Pierre 31—32、157、158—159；27

勒鲁，朱尔斯 Leleu, Jules 18、50、79

兰碧卡，塔玛拉·德 Lempicka, Tamara de 142—143；140

朗格伦，苏珊娜 Lenglen, Suzanne 164

勒诺布勒，埃米尔 Lenoble, Emile 104

勒努瓦，皮埃尔 Lénoir, Pierre 127

里尔塔德，吉纳维夫·德 Leotard, Geneviève de 161

勒帕普，乔治斯 Lepape, Georges 148—149、155、161；145

利斯卡泽，威廉 Lescaze, William 36

莱斯克，理查德 Lesker, Richard 47

拉维耶，安德烈 Léveillé, André 170

利维，克劳德 Lévy, Claude 111

利维，加布里埃尔 Lévy, Gabriel 95

洛特，安德烈 Lhote, André 142

利比玻璃公司 Libbey Glass Company 98、100

里卡兹 – 斯特劳斯，玛利亚 Likarz-Strauss, Maria 45、46

威克，林德斯特兰德 Lindstrand, Vicke 97—98；96

利努西尔，克劳迪斯 Linossier Claudius 80

林乐芝 Linzeler 170

科普曼，赫尔伯特 Lippmann, Herbert 28

丽思，西蒙 Lissim ,Simon 110

洛贝尔，保罗 Lobel, Paul 69、70

洛克，罗伯特 Locher, Robert 28、69

罗曼诺思索瓦陶瓷公司 Lomanossova Porcelain 119

伦敦 London

　伦敦巴特西发电站 Battersea Power Station 180

　广播大楼 Broadcasting House 180

　克拉里奇酒店 Claridge's Hotel 101

　每日邮报大楼 Daily Express Building 101、180

　费尔斯通工厂 Firestone Factory 180

　海之码头 Hay's Wharf 180

　胡佛工厂 Hoover Factory 180

　伦敦创意屋 Ideal House 180

　彼得·琼斯商店 Peter Jones Store 180

　萨沃伊剧院 Savoy Theatre 101

　伦敦大学参议院 Senate House, London University 180

　斯特兰德皇宫 Strand Palace Hotel 101、180

朗维 Longwy 112；110

卢斯，阿道夫 Loos Adolf 11

洛伦佐，K Lorenzl,K. 113、126

洛杉矶 Los Angeles

　布洛克·威尔希尔百货商店 Bullocks Wishire Building 195、197

　加利福尼亚石油服务站 California Petroleum Service Station 198

　中心图书馆 Central Library 195

可口可乐瓶装公司厂房 Coca-Cola Bottling Plant 198；*189*
东哥伦比亚大厦 Eastern-Columbia Building 195
担保协会大厦 Guaranty Associating Building 195
信贷协会大厦 Loan Association Building 195
洛杉矶市政厅 Los Angeles City Hall 195
奥威亚特大厦 Oviatt Building195、197
泛太平洋音乐厅 Pan-Pacific Auditorium 198
庞特吉斯剧院 Pantages Theatre 195
里奇菲尔德石油大厦（大西洋里奇菲尔德大厦）Richfield oil Building（Atlantic Richfield）193—195；*183*、*184*
赛里格零售商店 Selig Retail Store195
联合铁路终点站 Union Railroad Terminal 198
剧院 Wiltern Theatre 195、205；*185*
劳格兹，玛德琳 Lougez, Madeleine 41
卢波，查尔斯 Loupot, Charles 150、151
拉维特-洛斯奇，博瑞斯 Lovet-Lorski, Boris 132、134—135；*129*、*130*
卢斯，让 Luce, Jean 87、88、111
吕尔萨，安德烈 Lurçat, André 34
吕尔萨，让 Lurçat, Jean 41、51；*44*
麦克阿瑟，沃伦 MacArthur, Warren 36
麦卡腾，爱德华 McCarten , Edward 133
麦克利兰，南希 McClelland, Nancy 47
麦格拉斯，雷蒙 McGrath, Raymond 54
麦克肯兹与特拉斯特 McKenzie & Trask (architects) *192*
麦克肯兹，沃利斯与格梅林公司 MaKenzie, Voorhees & Gmelin *170*
麦金托什，查尔斯·雷尼 Mackintosh, Charles Rennie 42、179；*168*
麦克奈特·考弗，爱德华 MaKnight Kauffer, Edward 45、54、55、156；*37*、*150*
麦克利什，明妮 McLeish, Minnie 42
麦克默尼斯，弗雷德里克·威廉

MacMonnies, Frederick William 132
机器美学 / 机械美学 machine aesthetic 132、141
曼格鲁森，埃里克 Magnussen Erik 76 77；*70*
玛格丽特，雷奈 Magritte, René 155
马约尔，阿里斯蒂德 Maillol, Aristide 63
梅雷，埃塞尔 Mairet, Ethel 45
玻璃之家，巴黎 Maison de Verre, Paris 101
迪士尼之家 Maison Desny *61*
梅森妮小姐 Maisonée, Mlle 111
梅森尼尔，马歇尔 Maisonnier, Marcelle 51
《房子》（维特斯）Maisons（Vertès）156
大师工作室 Maîtrise, La (studio) 111、178
马菲，查尔斯 Malfray, Charles 127
马莱–史提文斯，罗伯特 Mallet-Stevens, Robert 9、34、54、101、130、178
曼哈顿（沃）*Manhattan*(Waugh) 140—141
曼希普，保罗 Manship,Paul 100、138—140、192；*134*、*135*
马库西斯，莱昂 Marcoussis, Léon 41
马库西斯，路易斯 Marcoussis, Louis 51
梅尔，安德烈 Mare, André 16、18、41、42、50、51、82、111—112、161
马福特，里奥 Marfurt, Léo 155
玛格特，安德烈 Margat, André 147
玛里内蒂，菲利普·托马索 Marinetti ,Filippo Tommaso 166
马里尼，马利奥 Marini, Mario 43
马里诺，莫里斯 Marinot, Maurice 82—84；*79*、*80*
马蒂尔，让 Martel Jan 110、127、129—130；*125*、*126*
马蒂尔，约尔 Marty, Joël 110、127、129—130；*125*、*126*
马丁，查尔斯 Martin, Charles 148
马丁·杜·嘉尔，莫里斯 Martin du Gard, Maurice 32

马丁，约瑟 Martin, José 112
马蒂，安德烈 Marty, André 148
马克思，伊尼德 Marx, Enid 44
马斯，M. Masse, M.170
马索尔，菲利克斯 Massoul, Félix 106
马塔格尼，菲利克斯 Matagne, Félix 98
梅特，莫里斯 Matet, Maurice 51
马特逊，布鲁诺 Mathsson, Bruno 35
马蒂斯，亨利 Matisse, Henri 41、82、97、100、104、142
马特，赫尔伯特 Matter, Herbert 155；149
梦宝星 Mauboussin168、170、171、174；160
墨菲，爱德华爵士 Maufe, Sir Edward 27
毛姆，西莉 Maugham ,Syrie 37
梅，西比尔 May, Sybille113
马尤，爱德华 Mayo, Edward 76
马尤顿，让 Mayodon ,Jean 105
马诺耶尔，S 女士 Mazover, Mme S. 51
米埃尔，德雷斯 Meiere, Hildreth 192
麦兰瑞 Mellerio 170
孟德尔松，埃里克 Mendelsohn, Erich 101、180
梅尼，皮埃尔-让 Mêne, Pierre-Jean 130
马塞利斯，罗伯特 Merceris, Robert 61
蒙尔，克莱门特 Mère, Clément12；2、3
梅斯淖维克，伊凡 Mestrovic, Ivan 132
梅特涅，波琳·德 Metternich , Pauline de 72
莫泰，安德烈 Metthey, André 104；102
梅耶尔，皮埃尔 Meyer, Pierre 32
迈阿密海滩 Miami Beach 203—205
普利茅斯酒店，迈阿密海滩 Miami Beach, Plymouth Hotel 194
迈克尔，莫里斯 Michel, Marius 160
密斯·凡·德·罗，路德维希 Mies van der Rohe, Ludwig 30、35、101、118
米哈利克，朱丽叶斯 Mihalik, Julius 107
米克洛斯，古斯塔夫 Miklos, Gustav 128
米勒斯，卡尔 Milles, Carl 132、137
米尔恩，奥利弗 Milne, Oliver 101
米尔恩，奥斯瓦尔德 Milne, Oswald 54

密尔顿，阿比·洛克菲勒 Milton, Abby Rockefeller 36
米克，查尔斯 Miquet, Charles 160
蜜思婷瑰 Mistinguett 151
现代主义 Modernism 8—9、33—36、132—133、134
　　玻璃 glass 100—102
　　纺织品 textiles 38—39
莫蒂里安尼，阿美迪欧 Modigliani, Amedeo 32、128
莫霍利-纳吉，拉斯洛 Moholy-Nagy, Laszlo 101
蒙瑞森，亨利·德 Monbrison, Henri de 158
蒙德里安，皮亚特 Mondrian, Piet 166
蒙塔尼亚克，皮埃尔-保罗 Montagnac, Pierre-Paul 41、61
摩尔，布鲁斯 Moore, Bruce 133
莫拉克，奥托 Morach, Otto 155
莫罗，让-查尔斯 Moreux, Jean-Charles 34
摩根，沃斯与克莱蒙特 Morgan, Walls & Clements (architects) 183、184
莫里斯，塞德里克 Morris, Cedric 42
莫里斯，威廉 Morris, William 75、103
莫顿，阿力斯泰尔 Morton, Alistair 42
莫塞，科罗曼 Moser, Koloman 45
穆然，约瑟夫 Mougin, Joseph 95
莫龙，阿道夫　见（卡桑德）Mouron, Adolphe see Cassandre
莫维奥，乔治斯 Mouveau, Georges 20
莫兰德，莫里斯 Moyrand, Maurice 153
穆夏，阿尔丰斯 Mucha, Alphonse 150
穆勒-蒙克，彼得 Müller-Munk Peter 77
慕尼黑制造联盟 Munich Werkbund 9
穆雷，基斯 Murray,Keith 98、115、119
穆特修斯，赫尔曼 Muthesius, Hermann 96

奈德曼，伊利 Nadelman, Elie 132、134
尼格尔，萨贝拉 Nagel, Isabel 136

南，雅克 Nam, Jacques 147

纳什，保罗 Nash, Paul 43、44

内森，费尔南德 Nathan, Fernand 41、50；*42*

纳维拉，亨利 Navarre, Henri 81、84—85

尼詹斯凯，阿诺德 Nechansky, Arnold 46

纽博特陶瓷 Newport Pottery115

纽约 New York

美 国 暖 炉 大 楼 American Radiator Building 190

巴克莱-维西大楼 Barclay–Vesey Building *170、184*

查 宁 大 楼 Chanin Building 190、205；*177、178*

城市银行农民信托大夏 City Bank Farmers Trust Building *176*

克莱斯勒大楼 Chrysler Building 174、186；*173*

每日新闻大楼 Daily News Building190；*179*

厄尔·卡罗尔剧院 Earl Carroll Theatre 205

帝 国 大 夏 Empire State Building 174、186—188

戈 莱 特 大 楼（瑞 士 中 心）Goelet Building（Swiss Certer) 192

卫生部大楼 Health Department Building *171*

麦格劳-希尔大楼 McGraw-Hill Building 190

无线电城市音乐厅 Radio City Music Hall 36、50、205

洛 克 菲 勒 中 心 RockefellerCenter 136、141、191—192；*180*

斯 特 瓦 特 公 司 大 夏 Stewart Company Building 185—186

瓦 尔 朵 夫-阿 斯 托 瑞 亚 酒 店 Waldorf-Astoria Hotel 190

伍尔夫斯特大楼 Woolworth Building 180

尼科尔森，本 Nicolson, Ben 43

尼克斯公司，Nice *frères* 66、70；*56*

尼克斯，朱尔斯 Nics, Jules 61

尼克斯，迈克尔 Nics, Michel 61

尼尔森，哈拉尔德 Nielsen, Harald 75

尼金斯基，瓦斯拉夫 Nijinsky, Vaslav 122

尼佐里，马尔塞洛 Nizzoli, Marcello 156

德·诺阿伊子爵 de Noailles, Viscount 32

《北方列车》（卡桑德）Nord Express（Cassandre)153

诺曼底号（卡桑德）*Normandie* (Cassandre) 153

诺曼底号（远洋渡轮）*Normandie* (oceanliner) 18、20、42、57、58、105、153

诺维奇，马西耶 Nowichi, Maciej 156

埃德温，奥尔斯通 Ohrström, Edvin98；*95*

奥·基夫，乔治 O'Keeffe, Georgia 100

奥勒斯威兹，S. Olesiewicz, S. 41、51

奥米茄 Omega 75

奥米茄工作坊 Omega Workshops 43

奥莲治，让 Orage, Jean 54

东方影响 Oriental influences 8、22、39、79、104、122、135、165、167

奥鲁夫，夏昂 Orloff, Chana 130

奥·洛克，布赖恩 O'Rorke, Brian 54

奥斯 Orsi 155

奥斯坦德海峡 *Ostende-Douvres* (Marlut)155

欧珍方，阿梅德 Ozenfant, Amédée 35、100

斯托克雷特宫 Palais Stoclet 23

巴黎 Paris

乐·蓬·马歇尔百货展厅，巴黎展览 Au Bon Marché Pavilion, Paris Exposition (1925)

吉罗，《嘉布谴大道》Girault, boulevard des Capucines *164*

梅森·德维拉 Maison de Verre Paris 101

大师展馆，巴黎国际博览会（1925）Maîtrise Pavilion, Paris Exposition（1925）*165*

新精神展馆，巴黎国际博览会（1925）

Pavillon de L'Esprit Nouveau, Paris Exposition (1925) 175

旅游陈列馆，巴黎国际博览会（1925）Pavillon de Tourisme, Paris Exposition（1925）130

协和广场，巴黎展览 Prote de la Concorde, Paris Exposition (1925) 130

青春展厅，巴黎国际博览会（1925）Primavera Pavilion, Paris Exposition (1925) *166*

巴黎（远洋渡轮）*Paris*（oceanliner）*57*、*58*

伊利诺伊斯州帕克里奇皮克威克剧院 Park Ridge Illinois;Pickwick Theatre 205

巴森，艾迪斯·巴烈图 Parson, Edith Barrette 133

巴斯鲁（远洋渡轮）*Pasteur*（oceanliner) 18

帕蒂吉安，海格 Patigian, Haig 195；*183*

帕图，让 Patou, Jean 164

帕图，亨利 Patout, Henri 110

帕图，P. Patout,P. 178

保罗，布鲁诺 Paul, Bruno 26—27、47、55

旅游陈列馆（马莱–史提文斯）Pavillon de Tourisme, Paris Exposition（Mallet-Stevens) 130

新精神展馆（勒·柯布西耶）Pavillon de L'Esprit Nouveau（Le Corbusier) 175

皮尔森，拉尔夫 Pearson, Ralph 55

贝希，达哥贝尔 Peche, Dagobert 45

佩雷，弗莱德 Perret, Fred 61

贝里安，夏洛特 Perriand, Charlotte 34

佩泽尔，让 Perzel, Jean 65；69；*60*

皮提格诺，卢西安 Petignot, Lucien 98

帕特，菲利普 Petit, Philippe 20

帕特，皮埃尔 Petit, Pierre34

柏翠，特鲁德 Petri,Trude 118

皮特里，弗林德斯爵士 Petrie,Sir Flinders 167

佩夫斯纳，安东尼 Pevsner, Antoine 102

普鲁格，蒂莫西 L. Pflueger, Timothy L. 198；*100*

福尔，亚历山大教授 Pfohl, Professor Alexander 98

费城 Philadelphia,
  国家银行大楼 National Bank Building *172*
  国家剧院 State Theatre 205
  上城剧院 Uptown Theatre 205

菲利普，保罗 Philippe, Paul 124

比卡比亚，弗朗西斯 Picabia, Francis 32

毕加索，巴勃罗 Picasso, Pablo 32、41、134、141、170

皮莫里利，阿提里奥 Piccirilli, Attilio *180*

皮盖，查尔斯 Piguet, Charles 61

坡，埃德加·艾伦 Poe, Edgar Allan 149

菠茨仁，奥托教授 Poertzel Professor Otto 124、126

普特，威廉 Poetter, Wilhelm 55

佩罗纳特，吉伯 Poillerat, Gilbert 61、70

波烈，保罗 Poiret, Paul 23、25、39—40、122、148、162、175

普瓦松，皮埃尔 Poisson, Pierre 63

缤慕工作室 Pomone studio 111、178

蓬朋，弗朗索瓦 Pompon François 131

庞蒂，吉奥 Ponti, Gio 74、114

普尔，亨利·瓦纳姆 Poor, Henry Varnum 47、109、192

波波瓦，尤波夫 Popova, Liubov 46

波斯兰斯法比克、波什格伦 Porselaensfabrik, Porsgrunn 116

巴黎协和广场博览会（马莱–史提文斯）Porte de la Concorde, Paris Exposition (Mallet-Stevens) 130

波顿纽威，阿尔弗雷德 Porteneuve, Alfred 58

普热翁，罗伯特·欧仁 Poughéon Robert, Eugène 143、144

波威尔，杰姆斯 Powell, James 101

波沃尔尼，迈克尔 Powolny, Michael 107、108

普列斯，费迪南德 Preiss, Ferdinand 124、126；*123*

普列斯–卡塞尔公司（雕塑工厂）Preise-

Kassler（sculpture manufacturers）124—126
普伦蒂斯，特伦斯 Prentis, Terence 43
青 春 工 作 坊 Primavera studio 111、
114、178
欧仁，普林茨 B. Printz, Eugène B. 33、
79；*28*
普瑞迪卡，马克斯 B Priteca, Marcus 205；
186
普鲁，雷奈 Prou, René 34、63、175
普鲁夫，维克多 Prouve, Victor 95
皮弗尔卡，让 Puiforcat, Jean 71；*65、66、
67*

罗宾·亨利 Rapin, Henri 51、110、178
雷图，阿曼德-阿尔伯特 Rateau, Armand-
Albert 22、160；*18、19*
拉菲留斯，埃里克 Ravilious, Eric 115
雷东，奥迪安 Redon, Odilon 104
里夫斯，鲁斯 Reeves Ruth 47、48、50、
192；*39*
哈里森 & 麦克莫雷 Reinhard & Hofmeister
191
瑞斯，亨丽埃特 Reiss, Henriette 47
瑞斯，温诺德 Reiss, Winold 28
《法兰西 1900 年到 1925 年的书籍装订》
（勒·德·克鲁扎特）*Reliure Française de 1900 à 1925,
La*（de Crauzat）160
雷纳德，马塞尔 Renard, Marcel 11
雷诺阿，皮埃尔 Renoir, Pierre 104
雷德，弗莱德里希 .H. Rhead, Frederick H.
120
里茨内尔，让-亨利 Riesener, Jean-Henri
11
瑞格尔，路易斯 Rigal, Louis 190
瑞特与谢伊（建筑师） Ritter & Shay
（architects）172
韦沃塞陶瓷 Riverside China 119
里克斯，费利斯 Rix, Felice 46
里克斯，吉蒂 Rix, Kitty 46
罗比诺，阿德莱德 Robineau, Adelaide
104

罗杰 Robj *112*
罗德琴科，亚历山大 Rodchenko, Alexander
46
罗德，吉尔伯特 Rohde, Gilbert 36、69、
77、78、102
罗德，约翰 Rohde, Johan 75
卢克伍德陶瓷厂 Rookwood Pottery
104、117、202、203
罗斯福，埃莉诺 Roosvevelt, Eleanor 108
小 约 翰· 威 尔 邦 劳 特 Root, John
Wellborn, Jr. 199
罗斯兰陶瓷加工厂 Rorstrand Porcelain
Manufactory 116
罗森伯格，莱昂斯 Rosenberg, Léonce
128
罗斯维尔陶瓷公司 Roseville Pottery 117
罗斯，赫尔曼 Rosse, Hermann 28、47
罗瑟夫，塞谬尔莱昂内尔（罗索）（Rothafel,
Samuel Lionel（Roxy）36、205；*31*
罗斯柴尔·德，Rothschild, Baron Robert de
158、161
罗腾伯格，恩纳 Rottenberg, Ena 113
鲁奥，乔治斯 Rouault, Georges 41
卢梭，克莱门特 Rousseau, Clément 7、
12；*4*
卢梭，约瑟夫-加布里埃尔 Roussseau,
Joseph-Gabriel 95
洛克斯-施皮茨，迈克尔 Roux-Spitz, Michel
58
罗兰德，威特 Rowland, Wirt 199—201；*191*
鲁巴菱形（玻璃器皿） Ruba Rombic
（glassware）102
鲁贝尔，M. Rubel, M. 170
鲁本斯坦，伊达 Rubenstein, Ida 122
鲁布斯与亨特 （建筑师）Rubush & Hunter
（architects）*193*
鲁赫尔曼，埃米尔-雅克 Ruhlmann, Emile-
Jacques 7、11—12、36、41、50、58、79、
110、178；*5、6、7、8、10*
罗斯金，约翰 Ruskin, John 103
俄罗斯 Russia 见 U. S.S.R.

沙里宁，埃利尔 Saarinen, Eliel 27、77、109

萨里宁，洛哈 Saarinen, Loja 47、55

萨比诺，莫里斯-恩斯特 Sabino, Marius-Ernest 91、93

圣-高登，奥古斯都 Saint-Gaudens, Augustus 132

萨拉，杜米尼克 Sala, Dominique 85

萨拉，让 Sala Jean 85

萨尔泰里尼，约翰 Salterini, John 69、70

桑德查，斯坦尼斯拉瓦· Sandecka, Stanislawa 156

桑德斯，爱德华·马塞尔 Sandoz, Edouard Marcel 111、131、140；127

桑德斯，杰拉德 Sandoz, Gérard 74、168、170、171；69

旧金山 San Francisco

　旧金山股票交易所午餐吧 Luncheon Club San Francisco Stock Exchange 198

　医疗卫生大厦 Medical and Dental Building 198

　奥克兰·帕普利克斯剧院 Oakland Paramount Theatre 198

肖恩德斯，爱德华·W. Saunders, Edward W. 203

维奇与维波（建筑师）Sauvage & Wybo (architects) 178；166

斯堪纳维亚 Scandinavia

　陶瓷 ceramics 55

　地毯 Carpets 116

　家具 furniture 35

　玻璃 glass 95—98

　银 silver 75、77

申克 Schenck 66

谢乐，卡洛斯·R. Scherrer, Carlos R.160

斯奇培尔莉，伊尔莎 Schiaparelli, Elsa 156

史利斯女士，Schils, Mme 41

施密特卡塞尔，G. Schmidtcassel，G. 126

施密特，弗朗索瓦-路易斯 Schmied, François-Louis 31, 160, 161; 153

施耐肯伯格、沃尔特 Schnackenberg, Walter 155

施内克，爱德华 Schneck, Edouard 61

施内克，马塞尔 Schneck, Marcel 61

施耐德 Schneider 86

施耐德，查尔斯 Schneider , Charles 87—88；86

施耐德，恩斯特 Schneider, Ernest 87—88；86

舍恩，欧仁 Schoen, Eugène 28、47、69

施兰贝格·马略尔卡陶瓷公司 Schramberger Majolika Fabrik 119

斯瑞克高斯特，维克托 Schrechengost Viktor 107、108—109；108

施罗德，杰曼 Schroeder, Germaine 161

施瓦兹，让 Schwartz, Jean 61

斯科特，贾莱斯·吉尔伯特 Scott, Giles Gilbert 180

斯科特，威廉 Scott, William 43

斯库德，珍妮特 Scudder, Janet 133

赛吉尔，恩斯特 Seger, Ernst 104

赛尔莫斯汉，托尼 Selmersheim, Tony 41

塞尔，乔治 Serre, George 104-105

塞文，露西尔 Sevin, Lucille 91

塞夫尔（陶瓷）Sèvres（pottery) 110

莎莉·波特瑞斯 Sheeler Potteries 115

夏诺德，欧仁尼娅 Shonnard Eugenie 133

施夫兰·兰博与哈曼公司 Shreve, Lamb & Harmon（architects) 188

斯克里斯，C. Siclis, C. 178

西蒙，玛格丽特 Simeon, Margaret 42

西门，亨利 Simmen, Henri 105

西门，奥·金女士 Simmen, Mme O'kin 105

西蒙，约瑟夫 Simon, Joseph 98

西蒙，马里昂 Simon, Mario 23

西蒙，阿尔伯特 Simonet, Albert 67、92

辛格尔，苏斯 Singer, Susi 106、107

斯科莱姆，维克多 Skellern, Victor 115

斯奇斯拉惠兹，安东 Skislewicz, Anton *194*

摩天大楼的影响 skyscraper, influence of 76、133、141、174

摩天大楼 skyscrapers 180—184、188

斯拉特，埃里克 Slater, Eric 155

斯诺与罗伯特森公司 Sloan & Robertson (architects)190

史密斯·欣奇曼与格里尔斯（建筑师）Smith Hinchman & Grylls (architects) *191*

理查德·基诺里陶瓷公司 Society Ceramica Richard-Ginori 114

索洛，路易斯 Sognot, Louis 34、101

索特宾里尼，塞拉芬 Soudbinine Seraphin 105

邵格斯，玛德琳 Sougez, Madeleine 111

斯普拉特林，威廉 Spratling, William 74

国家陶瓷工厂 Staatliche-Porzellan Fabrik 118

斯泰德勒–斯特尔茨尔，根塔 Stadler-Stölzl, Gunta 45、46、54；*38*

斯坦，马特 Stam, Mart 35

卡桑德 *Statendam*(Cassandre)153

斯蒂凡诺娃，瓦尔瓦拉 Stefanova, Varvara 46

斯泰肯，爱德华 Steichen, Edward 50

斯坦伦，泰奥菲尔–亚历山大 Steinlen, Théophile-Alexandre 150

史提芬，丹尼尔 Stephan, Daniel 66

斯特凡尼 Stéphany 6

斯托本玻璃公司 Steuben Glass Company 98—99

斯托本维陶瓷公司 Steubenville Pottery 120

史提文斯与威廉 Stevens & Williams 98

史提文斯，艾琳·M. Stevens, Irene M. 98

斯托斯，约翰 Storrs, John 141；*137*

斯特劳，马里安 Straub, Marianne 43

卢浮宫工作室 Studium-Louvre studio 178

《形式研究》（斯托斯）*Study in Forms* (storrs)141

《研究一个花园游泳池》（克拉克）*Study for a Garden Pool* (Clark) 140

苏亚雷斯，安德烈 Suarès, André 158

苏珀，雷蒙 Subes, Raymond12、58、61、66；*54*、*55*

苏和梅尔 Süe et Mare 68、88、198；*9*、*11*、*12*、*41*

萨瑟兰，格拉姆 Sutherland, graham 116

尼亚加拉·莫霍克大楼 Syracuse, N. Y., Niagara Mohawk building 193；*181*、*182*

绍博，阿德尔伯特 Szabo, Adalbert 61、66、70

塔查尔德，珍妮 Tachard, Jeanne 32

塔波特，苏珊娜 Talbot, suzanne 30、32

挂毯 tapestry 41、48

塔盖，莫里斯 Taquoy, Maurice 42

切利科夫，帕维尔 Tchelitchev, Pavel 100

泽尔尼亚克 Tcherniack 43

提格，沃尔特·多温 Teague, Walter Dorwin 36、100

唐普利耶，雷蒙 Templier, Raymond 167、170；*160*、*162*

威廉·弗雷德里克·腾·布洛克 ten Broek, Willem Frederik 155

泰塔德，让 Tétard, Jean 71-72

巴黎之脑（卡鲁）*Têtes de Paris* (Carlu) 151

皮加里剧院（卡鲁）*Théâtre Pigalle* (Carlu) 151

西奥博尔德，吉恩 Theobald, Gene77；*72*

西奥多，哈维兰公司 Theodore Havilland et Cie 111

热尔，格扎 Thiez, Geza 91

托马斯，M. Thomas, M.61

蒂雷，安德烈 Thuret, André 85

蒂凡尼，路易斯·康福特 Tiffany, Louis Comfort76、98

蒂尔森，乔 Tilson, Jo 43

图卢兹–劳克雷克，亨利·德 Toulouse-Lautrec, Henri de 150

"一战"纪念牌 *Tranchée des baïonnette*, la (monument)57

卓威尔斯，皮埃尔 Traverse Pierre 127

崔宝特 G Tribout, G. 178

"三联"朱尔斯·布伊 Triptych（Jules bouy）50

塔尔萨 吉列-蒂雷尔大楼 Tulsa, Okla. Gillette-Tyrell Building 203

哈里伯顿-阿伯特百货商场大楼（斯卡洛大厦）Halliburton-AbbottAtore（Skaggs Building）203

美国 U.S.A

建筑 architecture 10、180-205

装帧 bookbinding 161

地毯 carpets 55

陶瓷 ceramics 107—109、117

家具 furniture 27—28、36

玻璃 glass 98—100

平面 graphics 149—150

铁艺 ironwork 63—64

首饰 jewelry166-167、173—174

灯饰 lighting 68—70

雕塑 sculpture 132—141

银 silver 76—78

纺织品 textiles 47—50

苏联，纺织品 U.S.S.R.,textiles 46

乌尔赖希，爱德华·布克 Ulreich, Edward Buk 192

厄本，约瑟夫 Urban, Joseph 27、47

瓦尔达，L. Valtat, L. 51

凡·阿伦，威廉 Van Alen, William 186；*173*

凡·克里夫，阿尔弗雷德 Van Vleef, Alfred 168

凡·德·兰，奇斯 van der Laan, Kees 155

凡·德·罗，密斯 van der Rohe, Mies30、35、101、118

凡·东根，奇斯 Van Dongen Kees82、142

瓦索斯，约翰 Vasos, John150、161

沃恩，基思 Vaughan, Keith 43

凡瞿，A. Ventre, A. 178

维拉，保罗 Véra, Paul 42、51、62、112

威耶，马克斯·勒 Verrier, Max le 123

沃森，科特 Versen, Kurt 69、70

汉斯耐德，让 Verschneider, Jean 127

维特斯，马歇尔 Vertès, Marcel 156

威尔，亨利Vever, Henri 160、162

维尔德，欧仁Viard, Eugène 82

维尔德，加布里埃尔Viard, Gabriel 82

维贝尔，马科斯小姐 Vibert, Mlle Max 51

维也纳分离派 Vienna Secession 9、27、36、39

文森特，雷奈Vincent, René 154、

弗拉曼克，莫里斯·德 Vlaminck Maurice de 142

福格特，巴隆·汉斯·亨宁 Voigt, Baron Hans Henning 149

内森，冯·沃尔特 von Nessen Walter 36、69、78；*63*

佛伦斯，贝拉Voros Bela 130

维亚尔，爱德华Vuillard, Edouard 104

瓦姆斯利-路易斯，E. Walmsley-Lewis, E.180

沃尔特，阿玛瑞奇 Walter, Alméric 95；*84*、*93*

沃尔特，弗兰德·C. Walter, Frank C. 203

沃尔特斯，卡尔 Walters, Carl 109

沃尔顿，艾伦 Walton, Allan 42、43

瓦奈科，海因茨 Warneke Heinz 133、138

瓦纳姆，格雷 Warnum, Gray 180

华盛顿传斯-勒克斯 剧院 Washington D.C. Trans-Lux Theatre 205

沃，西德尼·比尔勒 Waugh, Sidney Biehler 99—100、140—141；*136*

韦伯与科比特 Webb & Corbett 33

韦伯，卡尔 伊曼纽尔 马丁（雷姆）Weber, Karl Emanuel Martin（Kem）36、102

韦奇伍德·乔赛亚，父子公司 Wedgwood Josiah, & Sons 114、119

威尔登，哈里 Weedon, Harry 180

威斯威勒，亚当 Weisweiler, Adam 11

威尔斯，威廉 Welsh, William 150

惠特尼，格特鲁德·范德比尔特 Whitney, Gertrude Vanderbilt 137

维也纳手工工场，Wiener Werkstätt 23、27、45—46、106—107

维塞尔蒂尔，瓦拉里克 Wieselthier, Valerie 106、107；*106*

威尔克斯，哈利特·E. Wilcox, Harriet E. 117

王尔德，奥斯卡 Wilde, Oscar 161

威廉，威勒 Williams，Wheeler 133

温特，埃兹拉 Winter, Ezra 192

温特，塞尔玛·弗雷泽 Winter, Thelma Frazier 107、108

《冬季联盟》（马特）Winterverein （Matter）155

沃尔弗斯，马塞尔 Wolfers, Marcel 75

沃尔弗斯，菲利普 Wolfers, Philippe 75

伍德父子 Wood & Sons 115

伍斯特皇家陶瓷公司 Worcester Royal Porcelain Company 104

赖特，弗兰克·劳埃德 Wright, Frank Lloyd 55、183

赖特，拉塞尔 Wright, Russel 78、120；*119*

伊爵 Yseux 161

扎赫，布鲁诺 Zach, Bruno 126

扎德金，奥西普 Zadkine, Ossip 130

蔡塞尔，伊娃·史翠克 Zeisel, Eva Stricker 119

佐拉奇，玛格丽特 Zorach, Marguerite 48、138

佐拉奇，威廉 Zorach, William 132、138、192

居罗，弗兰兹·凡 Zülow, Franz von 45、46

艾琳·格雷："命运"，四联红漆屏风，背面在红漆背景里饰以黑色与银色的抽象几何图案。
（见图22）

艾琳·格雷："独木舟"躺椅，木胎髹漆与银箔，约1919至1920年。（见图23）

左上：唐纳德·德斯基：立体主义形式的重复图案纺织设计；绿色、褐色与乳白色水粉及石墨色。右上：苏和梅尔：法国艺术公司羊毛地毯，20世纪20年代后期。左下：费尔南德·内森：手工编织地毯，20世纪20年代。右下：泽尔尼亚克：为大师工作室设计的羊毛地毯，约1930年。（见图40—43）

伊凡·达·席尔瓦·布鲁恩斯：手工编织地毯，20世纪20年代。（见图47）

弗朗西斯·茹尔丹：手工编织地毯，20世纪20年代。（见图48）

伊凡·达·席尔瓦·布鲁恩斯：中心带有几何形图案的羊毛毯子，编织有艺术家的字母图案设计，1930年。（见图46）

埃德加·布兰特："绿洲"屏风局部，熟铁与铜装饰，1924年。（见图50）

雷奈·拉里克：（上）橙色，黑色珐琅和磨砂花瓶；（从左至右）克吕尼，灰玻璃花瓶，青铜镶嵌；拉格马，黑色珐琅和磨砂玻璃花瓶；贝利斯，黑色珐琅玻璃花瓶，20世纪20—30年代。（见图89）

塔玛拉·德·兰碧卡：亚里斯多夫王子肖像，布面油画，1925年。（见图140）

Le Grand Décolletage.

乔治·巴比尔：《大露背》时尚插画，1921。（见图144）

乔治斯·勒帕普：《时尚》封面，1927年3月15日刊。（见图145）

A.—M.卡桑德:《车厢开伙》,平版印刷海报,1933年。(见图146)

佚名设计师：晚宴包，钻石、绿宝石、玉、黄金、珐琅、锦缎、丝绸衬里，约1924年。
（见图158）

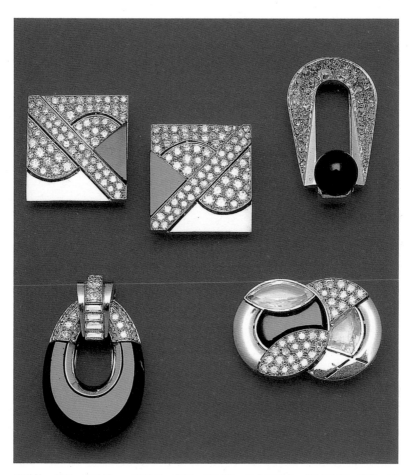

顺时针：保罗·布兰特：一对袖口，钻石、缟玛瑙、白金和铂金，约1925年。雷蒙·唐普利耶：胸针，碎钻铺嵌，缟玛瑙、铂金，约1925年。梦宝星：胸针，钻石、缟玛瑙、白金，约1925年。保罗·布兰特：胸针，刻面水晶，缟玛瑙、白金，约1930年。（见图160）

斯诺与罗伯特森（建筑），可能与雅克·迪拉梅尔合作：陶瓦饰带和青铜饰带，查宁大楼，列星敦大道第42街，纽约，1927—1929年。（见图177）

克劳德·比尔曼（建筑师）：百老汇849号，东哥伦比亚大楼，洛杉矶；内凹三角铜壁镶琉璃海蓝宝石和金色陶瓦，1930年。（见图188）